あっぱれ！　日本の新発明

世界を変えるイノベーション

ブルーバックス探検隊　著
協力　産業技術総合研究所

ブルーバックス

カバー装幀　五十嵐 徹（芦澤泰偉事務所）
本文デザイン　齋藤ひさの
本文図版　松本京久、さくら工芸社
図版協力　産業技術総合研究所
本文DTP　西田岳郎

はじめに

日本の「ものづくり」が、存亡の危機に瀕しているという。

「そんなはずはない！」と、日本の「ものづくり神話」を信じている人は言うだろう。そして、物知りな人はこう語りはじめるだろう。

だって日本人は、早くも縄文時代には、硬くて加工しにくい翡翠（ひすい）を世界で初めて装飾品として加工し、「勾玉（まがたま）」を中国にも大流行させた民族なんだぞ。鎌倉時代までには「たたら製鉄」によって世界に類のない強靭さと美しさを兼ね備えた日本刀を完成させ、戦国時代にはその製鉄技術を生かして伝来したばかりの鉄砲を大量生産して世界トップクラスの鉄砲保有国となり、江戸時代に飛躍的進歩をとげた美術・工芸の職人技は、明治になって西洋人に衝撃を与えて「ジャポニスム」が一大ブームとなり、開国からわずか70年ほどで、ついに世界最大の戦艦まで建造してみせたのだぞ。だが、それを境に日本は破局に向かったから、戦艦大和とともに「ものづくり大国」日本も沈没していてもおかしくなかった。なのに、そうはならなかった。壊滅的な敗戦から20年足らずで、家電や自動車など日本製の工業製品は、高品質と低価格から「メイド・イン・ジャパン」と呼ばれて世界を席巻し、アメリカの社会学者エズラ・F・ヴォーゲルは著書『ジャパン・アズ・ナンバーワン』で、アメリカは日本の「ものづくり」を範とすべしとまで書いたのだぞ！　そんな不死鳥のような日本人の「ものづくり」が滅びるはずがない！

物知りな男が目に涙を浮かべて力説するのを聞いていると、たしかに日本人の「ものづくり」はすごい。なぜそうなったかは、湿潤なモンスーン気候が育んだ豊富な材木資源が手先の器用さをもたらしたとか、稲作を中心とする定住型社会が先祖代々の知恵を継承しやすかった、などといわれ定かではないが、日本人には何か特別な資質があるような気もしてくる。

だが、いま日本の「ものづくり」がきわめて厳しい状況にあることは事実のようだ。

なぜか？　中国などの新興国が台頭して製造過程の低コスト化、ＩＴ化を進めたことで、高品質・低価格という日本の優位性が崩れたこと、日本が労働力を安いアジア諸国に依存し、国内の高コストだが優秀な技能をもつ職人を淘汰したため製品に魅力が失われたことなどが理由として指摘されている。「その程度のことで？」と物知りな男が再び涙する。たしかに、敗戦からもすぐに蘇った日本人の「ものづくり」の力は、そんなヤワなものではないようにも思える。

そこで、われわれブルーバックス編集部が立ち上がった。日本の「ものづくり」が本当に衰退しているのかを確かめるため、探検隊を組織したのだ。探検のターゲットは「産総研」だ。

産総研――正式名称は、国立研究開発法人　産業技術総合研究所。経済産業省が所管する、総勢約２２００名を擁する巨大研究機関。広範な分野で日々、新しい技術やアイデアを開発しては公的機関や企業とともに実用化に向けた取り組みを続けている、日本の「ものづくり」の総本山と言っても過言ではない。この産総研ではどのような研究がおこなわれているのか。研究者はどのような人たちなのか。それらを見極めることで、日本の「ものづくり」の現場がどうなっているのかを探ろうというわけだ。

決死の任務にあたった勇気ある隊員は、深川峻太郎、中川隆夫、黒田達明、西田宗千佳の4名（プロフィールは220ページ）。本書は、彼らが2018年から2023年までに敢行した、10の探検の記録である。そこには、産総研が開発を進めている10の新発明と、それに携わる研究者たちが繰り広げた10の物語がある。最初に言ってしまうと、これほどまでに気持ちを熱くさせられ、そして科学の読み物としても面白い探検記が10篇も揃うとは、われわれも予想していなかった。どの発明にも、世界の日常を変えてしまうイノベーションを起こす可能性がある。少なくとも研究者たちは、そんな未来を見据えていた。ここであまり多くを語ってしまうのは野暮にすぎるので、あとは読者のみなさまがご自身の目で、探検の成果を見届けていただきたい。

そして、日本の「ものづくり」は本当に衰退してしまうのか、それを回避するためには何が必要なのか、日本人に「ものづくり」の資質が備わっているとしたらそれは何か、思いをめぐらせていただけたら幸いである。

ブルーバックス編集部

目次●あっぱれ！　日本の新発明

冷やすメカニズムを根底から変える！
「磁気冷凍」という革命　15

第2章

日本の「地中熱」のすごい可能性

エネルギー問題が変わる！

第5章

「光格子時計」は時間を再定義する

その誤差、3億年に1秒！ 123

まるで小さなブラックホール！「暗黒シート」はなぜそんなに黒い？ 145

第8章

クルマが「感情」を読む!
「自動運転」の驚くべき未来図 161

第9章

音楽の楽しみかたが変わる!
「サビ」も探せる「音楽地図」 175

第10章 「プルシアンブルー」のすごい力
「臭い」を除去して資源に！ 193

第1章

「磁気冷凍」という革命

冷やすメカニズムを根底から変える！

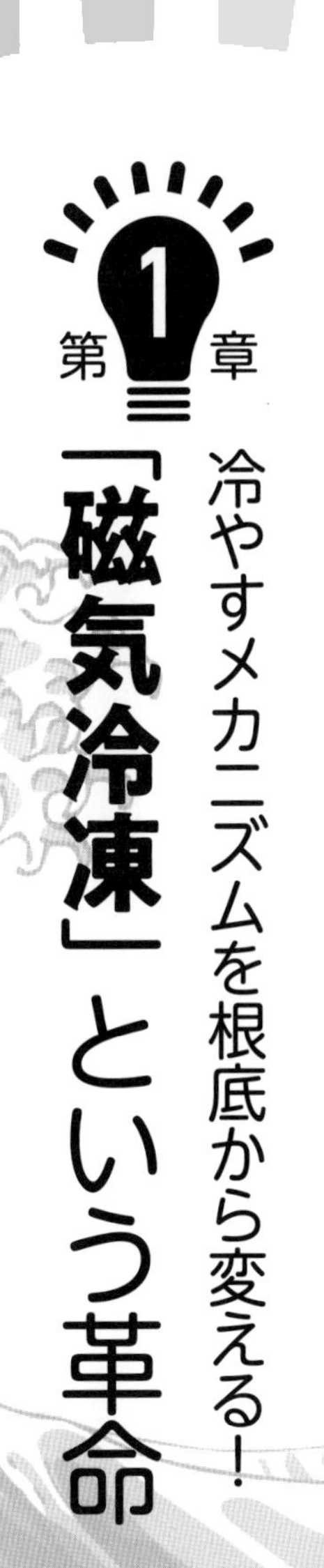

約6万年前にアフリカ大陸を出て世界に散らばって以来、さんざん地球を痛めつけてきた現生人類ホモ・サピエンスはいま、さまざまなところでしっぺ返しにあい、これまでのやりかたの見直しを迫られている。現代ではなくてはならない道具となった冷蔵庫もその一つ。もう、従来の「冷やしかた」は許されなくなってきているのだ。そして日本には、世界に先駆けて破壊的イノベーションを起こそうと燃えている研究者がいる。

●冷蔵庫の「本業」に「革命」が起きようとしている

どこのご家庭もそうだと思うが、冷蔵庫はしばしば「掲示板」の役割を兼ねている。税金の納付書、近隣の工事のお知らせ、イベントのチケット、そしてこの間までは新型コロナウイルスワクチンのクーポン券など、とりあえず磁石で貼りつけておくのに冷蔵庫は便利だ。冷蔵庫あるところに磁石あり、である。両者はとても相性がよい。

とはいえ掲示板は、あくまでも冷蔵庫の「副業」である。ところが、磁石がいま、冷蔵庫の「本業」にも役立とうとしている、という情報をキャッチした。それも「磁気冷凍」という破壊的イノベーションによって、冷蔵庫の歴史が大きく書き換えられようとしているというのだ。

かつて電化製品の「三種の神器」の一つとして戦後経済成長を支えた冷蔵庫に、もしそんな「革命」が起これば、そのインパクトはきわめて大きなものとなるだろう。はたして本当にそんなことが起こるのか？　われわれブルーバックス探検隊は情報の真偽を確かめるべく、そんな研究をしているという人物を探し当て、話を聞きにいった。愛知県は名古屋市にある産業技術総合研究所・中部センターの磁性粉末冶金研究センターで、エントロピクス材料チーム長をつとめる藤田麻哉さんだ。

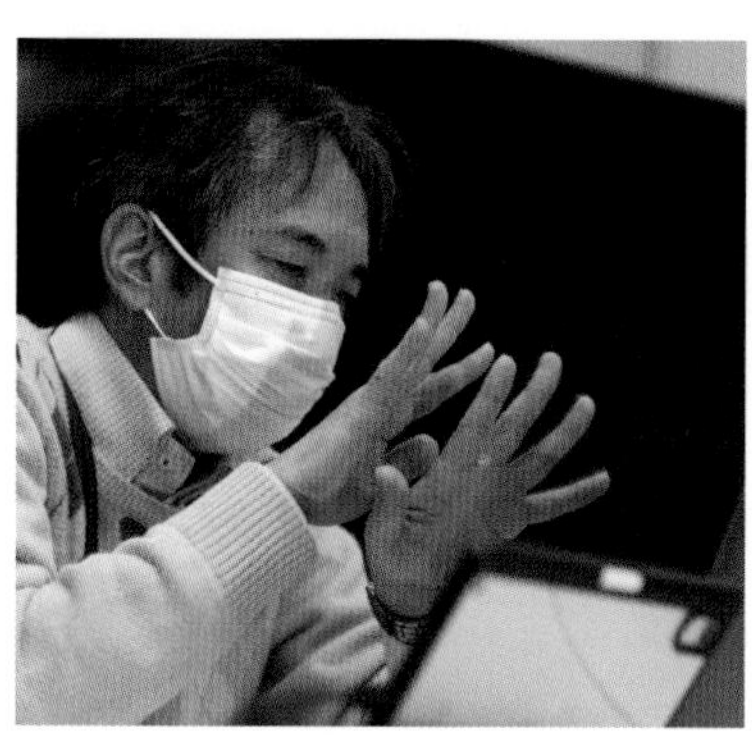

「冷やす」とはどういうことかを熱く語る藤田麻哉さん

冷蔵庫はなぜ「冷える」のか？

新技術の意義を理解するために、まずわれわれは、そもそも冷蔵庫がなぜ「冷える」のかを知らねばならない。話はそこからだ。

じつは、現在の冷蔵庫が冷えるのは「蒸気圧縮」という基本原理のおかげである。藤田さんによれば、この原理を最初に発見したのは、電磁気学の立て役者の一人であり、名著『ロウソクの科学』でも知られる、あのマイケル・ファラデーだそうだ。19世紀の話である。

「液体が気化するとき、周囲の熱を吸収します。これが気化熱です。この気体を圧縮すると温度が上がり、吸収した熱が外に捨てられます。これを利用して20世紀初めに発明されたのが、電気冷蔵庫です。気化したガスが熱を吸って庫内の温度を下げ、それを圧縮機で圧縮、コンプレッサーで液化して庫外に熱を捨てて、液体を再び庫内で気化させるというサイクルです」（藤田さん：31ページのコラム①も参照）

電気冷蔵庫がこうしたサイクルで物を「冷やす」という基本的なしくみは、２００年前から変わっていないそうだ。

だが、20世紀も終わり頃になると、環境問題が指摘されはじめ、この冷却サイクルに使用するガス、いわゆる「冷媒ガス」は検討を迫られた。それまで使われていたフロンは、大気に漏洩するとオゾン層を破壊するとされ、先進国では生産が中止される。その後は代替フロンの開発・利用が進んだが、それらも、地球温暖化の原因となる温室効果が二酸化炭素の何倍も大きいことがわかってきた。

「もはや代替フロンも撤廃しようというのが、世界的な流れになっています。でも、それに代わる冷媒ガスがなかなか見つからない。冷却能力があっても、価格が高かったり、性質が不安定で10年も経たずに状態が変わってしまったりするんです。いま国内の家庭用冷蔵庫で使われているガスも、微燃性があるのが問題です。日常レベルでは安全基準を満たしてはいるのですが、大量に集めて火をつければ燃えるんです」
そんなガスは、使わずに済むならそのほうがいいに決まっている。こうして、気体と液体を使う蒸気圧縮とは根本的に原理が異なる方法が議論されるようになった。電気冷蔵庫の誕生から200年が経って、初めてゲームチェンジの気運が生まれてきたのだ。そして考え出されたのが、「固体冷凍」という方法だったという。

● 磁石と温度の意外な関係

「固体を使って冷やす」とは、いったいどういうことなのか？　固体なのだから、もちろん気化熱とは関係ないことくらいはわかるが……。ここで登場するのが、それまで冷蔵庫の「副業」のお手伝いをする存在にすぎなかった磁石である。

じつは、磁石には「温度が上がると磁力が弱まる」という性質がある。液体がある温度を超えると気体になるのと同じように、磁石の温度がある境界線を超えると、磁気が失われるのだという。ちょっと難しい言葉を使うと、「強磁性体」（磁力が強い磁石）の温度が上がると「常磁性体」（磁力がすごく弱い磁石）に変化する、ということになる。

「**強磁性体が磁力をもつのは、電子が回転する向きが揃っているから**です。電線をぐるぐる巻きつけたコイルに電気を流すと、円電流（電子の円運動）から磁力が生じて電磁石になります。1

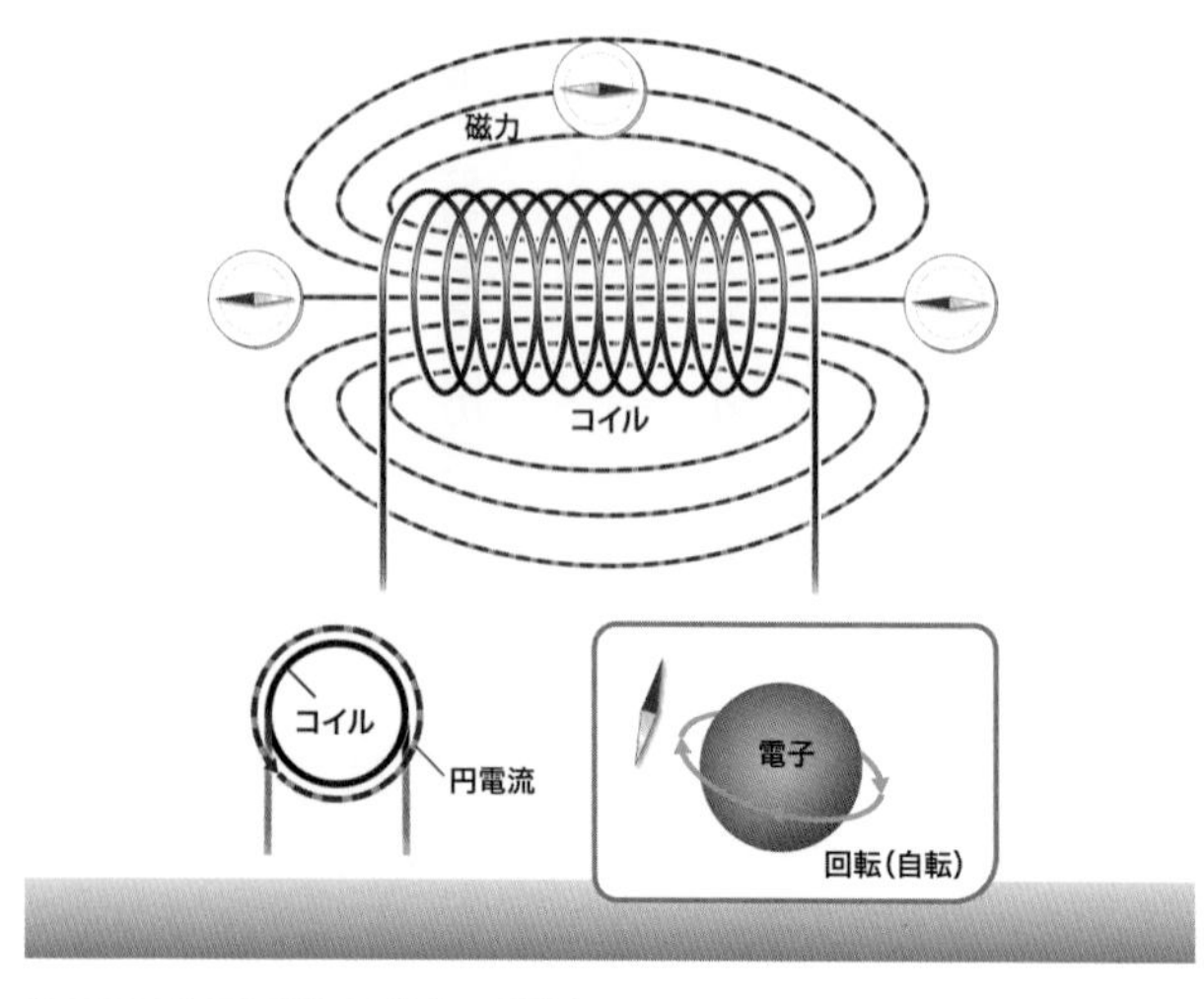

図 1-1 **円電流と磁力の関係**

電線を巻きつけたコイルに電気を流すと円電流(電子の円運動)から磁力が生じて電磁石になる。1個の電子でも回転すると磁力が生じてN極とS極をもつ(右下囲み)

個の電子でも、回転すると磁力が発生します(図1－1)。このため、電子にはそれぞれN極とS極があります。しかし、マクロな物体ではたくさんの電子のN極とS極がバラバラな方向を向いているため、磁力が打ち消し合います。この状態にあるのが常磁性体です」

物体内の電子の向きが揃うと、その物体全体が強磁性体、いわゆる磁石になる。しかし強磁性体の温度が上がると、揃っていた電子の向きが徐々にバラバラになって磁力が失われ、常磁性体になる。つまりほとんど磁石ではなくなる。この、強磁性体が常磁性体に変わる境目となる温度を「キュリー温度」というそうだ。「キュリー」はあの有名な夫人のほうではなく、その夫、ピエール・キュリーさんにちなんだものだ。

●「蒸気のサイクル」から「磁気のサイクル」へ

「物質によって沸点が違うように、キュリー温度も物体によって違います。みなさんが冷蔵庫にメモをくっつけているような磁石は、キュリー温度がすごく高いので、日常レベルの室温でポロリと取れることはありません。でもキュリー温度が室温に近い磁性体なら、そういう現象も見られるでしょう」

ネットで調べてみたら、一般的な磁石の材料である鉄は、キュリー温度が約770℃だという。たしかに、少なくともわが家の日常レベルの室温よりはかなり高い。

「液体が気体になるときに熱を吸うのも、ゆるゆると結合していた分子がバラバラになるからです。つまり分子であれ、電子であれ、秩序あるものがバラバラになるときに、熱変化を起こすんですね。そのバラバラ具合のことを、熱力学では『エントロピー』と呼んでいます。バラバラになるとエントロピーが高くなり、熱を吸収するわけです」

キュリー温度を超えて電子がバラバラになった常磁性体は、磁場を失い、その代わり増加したエントロピーを熱として吸収する。この現象を「磁気熱量効果」というそうだ。気化したガスが、周囲の熱を吸収するのと同じである。逆に、常磁性体の電子の向きが揃って磁場を得ると、圧縮されて液化したガスと同じように、熱を外に捨てる。

つまり、蒸気圧縮でいう気化（蒸発）は磁石が常磁性体になるときに相当し、液化は強磁性体になるときに相当する（24ページの図1-2）。だから磁石で冷蔵庫がつくれるのだ！

●磁気冷凍は「いいことずくめ」

磁気冷凍のサイクルには、フロンガスを使わないことのほかにも、蒸気圧縮にはない利点があると藤田さんは言う。

「蒸気圧縮のサイクルでは、途中でどうしても気体と液体が混在する状態が生じます。それを圧縮して均等に熱を運ぶようにコントロールするのは難しく、エネルギー効率を犠牲にせざるをえないのです。しかし固体なら、そのような混在が発生しないので、効率を上げることができます」

冷却効率が上がれば省エネにもつながり、環境への負荷はより低減される。さらには、こんな利点もある。

「蒸気圧縮で冷媒ガスを圧縮するために必要な装置（コンプレッサー）は、作動中の振動音が小さくありません。その点、磁性体の磁場を変えることは、少ない振動で静かにできます。状況に合わせた温度の微調整も、蒸気圧縮より連続的でスマートにできます（図1−3）」。

ノンフロンで、省エネで、静かで、おまけにスマート！　磁気冷凍はいいことずくめだ。わが家も明日からそっちに切り替えたいぐらいである。

●「逆張り」の研究が大発見に役立った

とはいえ、実際の冷蔵庫で磁気冷凍を実現することは、まだまだ簡単ではないらしい。このサイクルに使える磁性体の材料には、かなり厳しい条件があるからだ。

「人間が変化を感じられるだけの磁気熱量効果を生むには、わずかな温度変化で急に磁力が消えて、エントロピーが高まる磁性体を使う必要があります。でも、ほとんどの磁性体は磁力が減りはじめてから完全に消えるまでの温度の幅が広いので、そういう効果は得られません。冷蔵庫で実用化するには、狭い温度幅でパッと磁力が消える磁性体の材料を探す必要があるのです」

じつは、その貴重な材料を発見したのが、藤田さんらの研究グループだった！　というわけなのである。

が、意外なことに、藤田さんは最初から磁気冷凍に使うための材料を探していたのではないそうだ。「いわゆるセレンディピティなんですよ」と藤田さんは言う。磁石の研究が冷蔵庫と結びついたのは、思いがけない偶然だったというのだ。

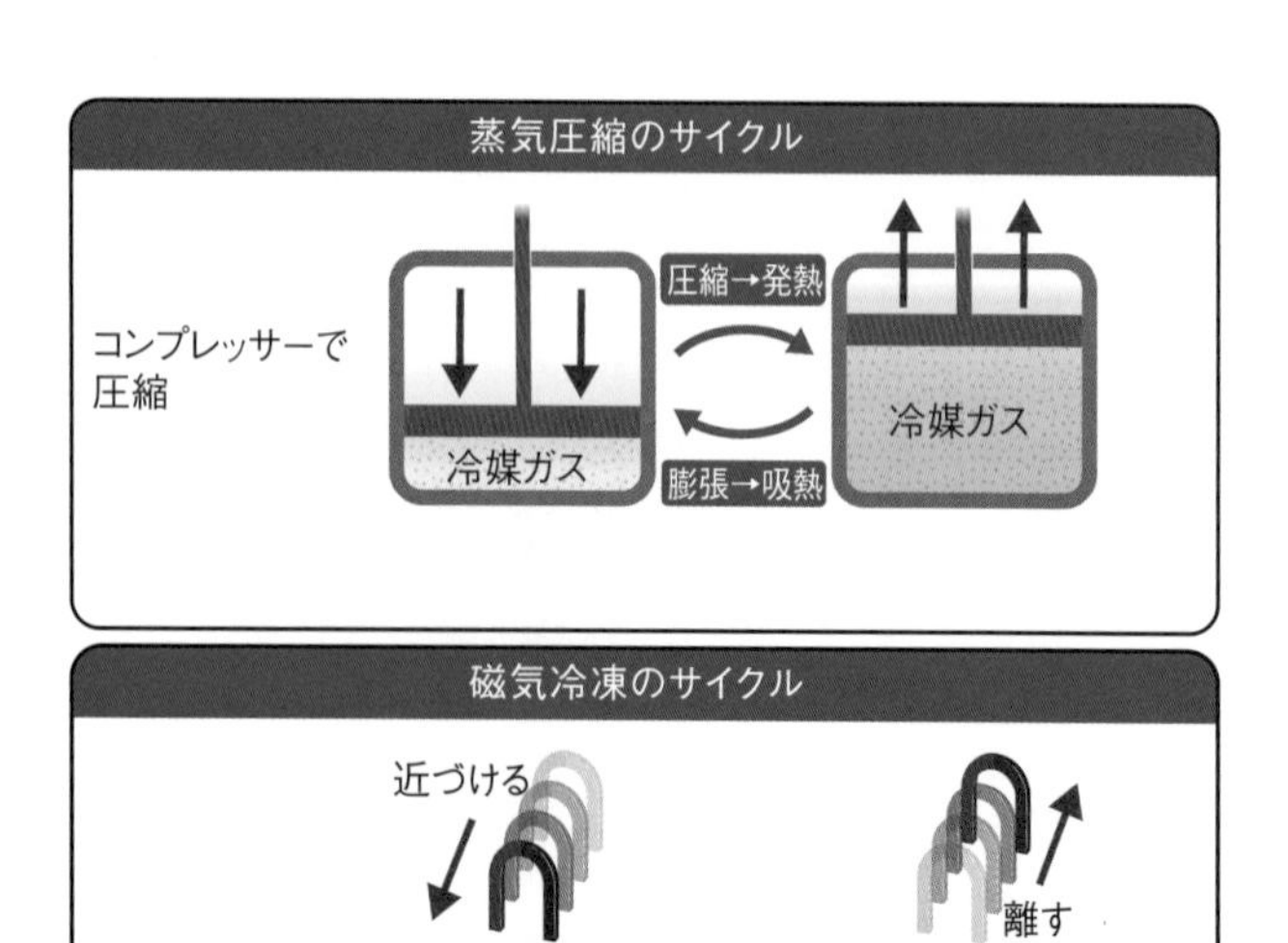

図 1-2　二つの冷却方式の比較

蒸気圧縮(上)は冷媒ガスを圧縮・膨張させる
磁気冷凍(下)は電子の向きを変えるだけなのでコンプレッサーは不要

「基本的に私たちの研究分野で求められるのは、当然ながら、強い磁石、安定性の高い磁石の開発です。温度が少し変わったぐらいで磁力を失ってしまうようでは、不安定すぎて使い物にならないわけですから。

　でも、安定した磁石をつくるためには、どうしたら不安定になるのか、ということも知る必要があります。そこで、それを突きつめて研究していたら、室温レベルでもわ

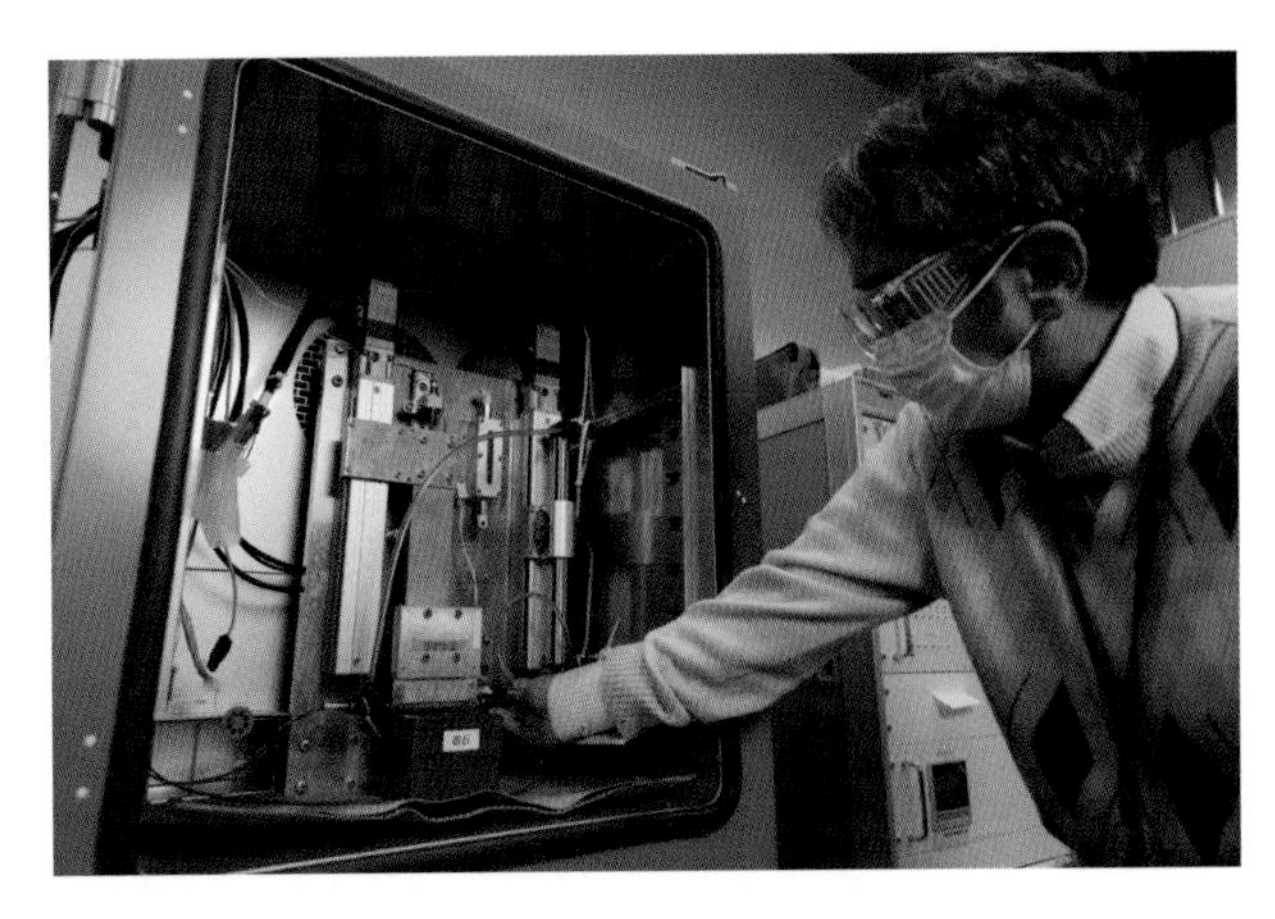

図 1-3 **ヒートポンプデモ機**

藤田さんの実験室で、静かに磁気による冷凍サイクルを繰り返すデモンストレーション機

ずかな温度変化で急激に磁力を失う材料が見つかったんです。２０００年前後のことでした」

ちょっと温度が変わっただけで落ちてしまうような磁石では、冷蔵庫を掲示板にできないので困る。だが、そんな役立たずの磁石を追求する、いわば「逆張り」の研究が、冷蔵庫の「本業」に役立つことになったのだ。

じつは、そのちょうど同じ頃に、磁気冷凍に関わる、ある問題が解決されようとしていた。それ以前から、絶対零度（約マイナス２７３℃）に近い極低温を扱う物理学の分野では磁気冷凍技術が使われてはいたのだが、それを冷蔵庫のような室温レベルで実用化するには、ある課題をクリアする必要があった。

「極低温の状態と違い、室温の場合は、磁性体に熱が溜まるんです。固体がもつ熱の一部は原子の格子振動（原子がそれぞれの安定な位置の周辺でおこなう微小な振動）に由来するのですが、この熱は磁場を変えても変わりません。それが温度をいわば〝底上げ〟してしまうので、磁場によって熱を変化させても、人間が感じられるほどの変化にならないんです」

この問題を解決するために、やはり2000年前後に出てきたのが、磁気冷凍サイクルというアイデアだった。藤田さんが発見した材料は室温レベルで変化する性質をもっていたので、ちょうどその冷凍サイクルに使うことができたのだ。

「冷凍サイクル技術と磁性体の材料という2つの分野で、たまたま同じタイミングでブレークスルーが起きたことで、実用化へ向けた動きが一気に進んだんです。国際磁気冷凍学会が立ち上がったのも、その頃です」

その当時は、藤田さんらが発見したものも含めて、磁性体の材料候補はいくつもあった。しかしそのなかには、リンやヒ素の化合物を含むものもあり、食品を扱う冷蔵庫では使いにくかった。安全性のほかにも、コストや供給の安定性など、実用化への課題はいくつもあった。藤田さんらの発見した材料は、それらをクリアして生き残った。

「われわれが開発した磁性体は、ランタン・鉄・シリコンを組み合わせたものです。ランタンは産出量が少ない希土類（レアアース）ですが、構成元素のおよそ9割は鉄なので、コストや供給の面での問題はありません。そして鉄は人体の構成要素でもあるので、安全です」

このような希土類・鉄・軽元素を組み合わせた磁石は、珍しいものではないという。たとえば、いま実用化されている磁石のなかでは最強とされているネオジム磁石。発明した佐川眞人氏はノーベル賞候補としても名前が挙がっているが、この磁石も希土類のネオジムと、鉄と、軽元素のボロン（ホウ素）を組み合わせたものらしい。

「世界最強の磁石も、温度変化で急激に磁力を失う磁石も、この3つの組み合わせでつくれるというのが面白いところですね」

●石橋を叩くより、まずは世に出してみたい

こうして、2000年頃を境に一気に本格化した感のある磁気冷凍冷蔵庫の開発だが、その実用化はいつになるのだろうか。わが家にも買い替えのタイミングがあるので、気になるところだ。

「いま、メーカーと一緒に開発を進めているところですが、なにしろ従来の冷蔵庫とは発想がまったく違うので、解決すべき課題がたくさんあります。磁性体をどのように搭載すれば効率よく熱交換できるか、に始まり、そもそも冷凍機の形は何がベストなのかも、まだわからない状況です。たとえば、現在は磁性体の試料を粉末にして試験をしていますが（図1-4）、実際に冷

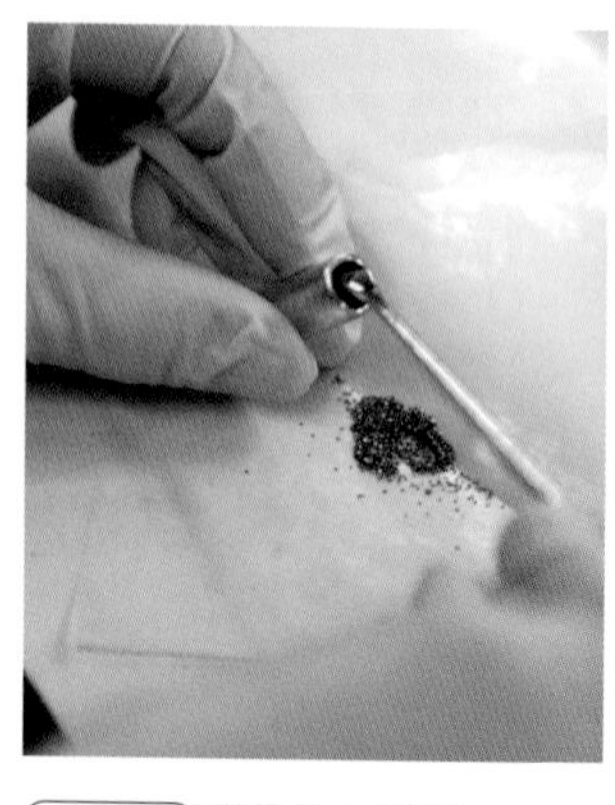

図1-4 **磁性体の試料**

試料の粉末(左)と試料保存用のタッパー(右)。磁性体の試料は微細な粉末なので、吹き飛ばないように工夫されたタッパーに入れておく

凍機器を組むときは、不定形の粒を乱雑に詰めると、やや効率が悪くなります。そのため、試料の粉末を焼き固めてデザイン設計し、『ベッド』と呼ばれる流路をつくる研究も進めています。このベッドの流路設計は、世界的にも重要な開発対象となっています」

藤田さんはそう言ったあと、言葉に力を込めた。

「ただ、いまはSDGsを含めて環境問題への社会的な要請もありますから、あまり時間をかけたくはありません。フロン削減や温暖化防止は政治的にも大きなテーマなので、追い風も吹いていています。2028年ぐらいには、市場に認知されるものを具体的な形で示したいですね」

おお、そんなに早く⁉

「日本の製品開発は昔から慎重なところがあっ

て、じっくり検討して問題がないことを確認してから世に送り出すのが従来のやりかたでした。でも、それでは追い風を生かせなくなるかもしれない。欧米のように、とりあえず形にして世に出してから、さらにブラッシュアップしていくというやりかたもありうると思っています」

藤田さんの夢が実現すれば、世界中の家庭用冷蔵庫が買い替えられることになるかもしれない。そのときまで、わが家の冷蔵庫が故障しないことを祈りつつ、新時代の冷蔵庫が颯爽と登場する日を楽しみに待つことにしよう。

探検時のPROFILE

藤田 麻哉
ふじた・あさや

材料・化学領域　磁性粉末冶金研究センター
エントロピクス材料チーム長

温室効果ガスが不要なうえに省エネ効果も高い固体冷凍の実現をめざして、磁場や外力を加えることによりエントロピーを変化させて熱量効果を生じる材料（エントロピクス材料）と、そのシステム応用を研究しています。めざすのは、われわれが開発したFe系磁気冷凍材料により、可能性が開かれる「磁気冷凍」の実現です。
19世紀以来200年近く磨かれ続けてきた冷蔵、冷凍の技術を新しく塗り替えていくのは容易ではありませんが、成功すれば持続可能な社会実現に大きく貢献できます。実用化のための課題は、機能性だけでなく、安全性や製造コストの低減など多岐にわたりますが、少しでも早く新技術を世に送り出すべく、開発にチャレンジしていきたいです。

コラム ①

そもそも、なぜ冷えるのか

「アルコール大丈夫ですか?」「ちょっとヒヤッとしますよ」――新型コロナウイルスのワクチン接種会場で、こんなふうにヒヤッとする経験をした読者は多いだろう。

じつは冷蔵庫が冷える原理も、これと変わらない。まるで別次元のことのように思えるが、とどのつまり、脱脂綿が含んだ液体のアルコールが肌に触れ、蒸発して気体になるときに肌から熱を奪うことで「ヒヤッとする」のと同じしくみを、冷蔵庫も利用しているのである。

水でも鉄でも、「物質」と呼べるものは、固体・液体・気体という3つの状態のどれかにある。水でいえば、氷か、水か、水蒸気のどれかだ。それぞれの状態はそれなりに〝安定〟しているので、たとえば液体から気体に蒸発するときには、〝よっこいしょ〟とジャンプしなくてはならない(これを相転移という)。このジャンプをするのに、エネルギーを必要とするのだ。人間も、ゆっくり座った状態から立ち上がるさいには、〝よっこいしょ〟と力を入れる必要があるのと似ている。

いま普及している、われわれの家庭にある冷蔵庫の中には、「冷媒」なるものが入っている。おもに水素とフッ素と炭素の化合物(代替フロン)で、この冷媒が容器の中で、相転移を繰り返すことによって、冷蔵庫は冷えている。具体的には、こういうことだ。

①コンプレッサーによって**気体の冷媒が圧縮されて、高温・高圧となる**

②コンデンサーに送られて**熱を放出(冷蔵庫の背面から放熱する)し、液体になる**

③液体になった冷媒は、こんどは蒸発器で**圧力を急に下げられて蒸発し、気体になる**

最後の気体になるときに、周りの熱を奪うために庫内が「ヒヤッとする」。この①〜③のプロセスを繰り返すことで、冷蔵庫は冷えるのだ。

急に圧力が下がると、物質を液体にとどめておく力が下がるので、蒸発しやすくなる。富士山の上ではカップ麵のお湯が低い温度でも沸騰する、と聞いたことがあるかもしれない。圧力が下がって物質が膨張する、つまり空間が広がると、立ち上がって動き回りたくなる、というイメージだろうか。しかし、ある程度まで蒸発して気体になったら、落ち着いてしまう（それ以上は蒸発しなくなる）ので、また圧縮して放熱し、液体に戻す、というプロセスが必要になるのだ。

この章で紹介した新発明「磁気冷凍」では、冷蔵庫で使う冷媒を、代替フロンから磁石（磁性体）に置き換える。これにより、液体⇅気体という状態変化の代わりに、強磁性体⇅常磁性体という状態変化が起こり、強い磁石から弱い磁石に変化するときに、〝よっこいしょ〟と周りから熱を奪う。これを利用して、冷やすのだ。

冷媒を膨張・圧縮させる代わりに、外から磁石を近づけたり離したりして磁場を変化させるプロセスを繰り返すことで冷やす。これが磁気冷凍のしくみである。うまいこと、同じような温度で〝よっこいしょ〟してくれる材料（磁性体）を組み合わせることができれば、新世代の冷蔵庫が登場する日も近いのかもしれない。

第2章

その力仕事、おまかせあれ！「ガテン系ロボット」いざ出動！

● なぜ「ヒト型」でなければならないのか？

「ヒト型ロボットが大工仕事をしている！」

ＹｏｕＴｕｂｅに公開されたある動画が、国内外の注目を集めていた。人間の形をしたヒューマノイドが、作業台の上に平積みされた石膏ボードから1枚をつかみとり、壁まで運んで立てかけ、片手でそれを押さえながら、もう片方の手で箱からピックアップした電動ドライバーを使って、壁にビス留めしているのだ（36ページの図2－1）。

動画は産業技術総合研究所が２０１８年9月27日に公開したもので、４ヵ月後の２０１９年１月29日には、再生回数はなんと１０５万回を超えたという。噂を聞いて、さっそく動画に見入る探検隊員たち。

「たしかにすごい！　ロボットが人間みたいに働いている。アシモフ(注)がＳＦ小説に書いたような未来世界が本当に到来するのだろうか⁉」

けれども、興奮する隊員たちの心に、どこかひっかかるところもあった。

胸にディスプレイをつけた「Ｐｅｐｐｅｒ」（いわゆる「ペッパーくん」）をはじめ、ヒト型ロボットすなわちヒューマノイドを、近年はちらほら見かけるようになった。それらは「コミュニケーション」を主目的につくられたものがほとんどで、ヒト型をしているのは人間とコミュニケーションするためといっていいだろう。

一方で、産業用ロボットはそれらとはまったく違う方向で進化している。建設業界でも、災害の復興という需要も増えて作業現場での労働力がこれまで以上に求められているが、少子高齢化で人手不足が深刻化していることから、ロボット技術への期待が高まっている。大手ゼネコン各社ではすでに、現場への試験的な導入も始まっている。

しかし、それらはいずれもヒューマノイドではない。溶接作業専用のアームがついていたり、資材搬入のための車輪がついていたりと、人間とは似ても似つかない、現場作業に特化されたロボットだ。

「現場仕事をさせるのに、ヒト型である理由はなんだろう。そもそも、ヒト型にこだわる必要があるのだろうか？　ヒューマノイドはもう、ＳＦやアニメの世界のなかだけのノスタルジーなのでは？」

そんな疑問をぶつけるべく、探検隊は、動画に登場するヒューマノイドの開発者を訪ねてみることにした。

（注）アイザック・アシモフ　米国のＳＦ作家・生化学者。ロシア生まれ。ロボットをテーマにした作品『わたしはロボット』を著し、「ロボット工学三原則」を提唱するなど、人間とロボットの関係を深く考察した。

①SF映画に出てくるようなロボットの姿

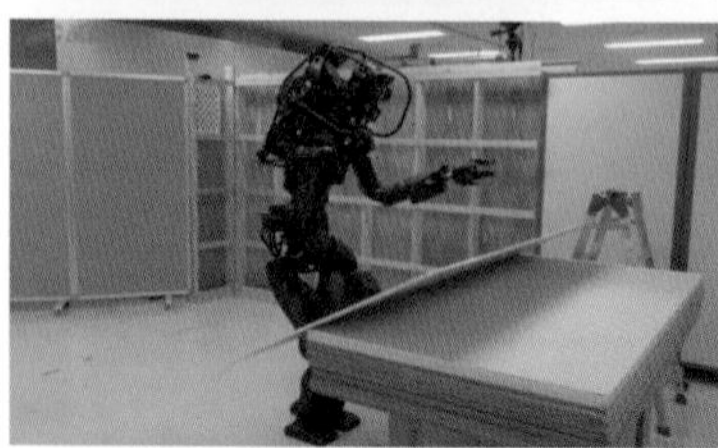

②器用に石膏ボードをつかみ

③ちゃんと床から浮かせて運び

④電動ドライバーでビス留めする

図 2-1　YouTubeにアップされたデモ動画
https://youtu.be/ARpd5J5gDMk

●「ヒト型」には理由があった

　研究室を訪ねると、そこではまさに、あのヒューマノイドがＹｏｕＴｕｂｅの動画と同じデモをおこなっている真っ最中だった。石膏ボードを両手に抱えてゆっくりと歩む、黒々としたボディが目に飛び込んでくる。

20年以上、ヒューマノイドの研究を続けている阪口健さん

　ヒューマノイドは、石膏ボードをモックアップの壁に立てかけたところで、しばらく静止した。動作はしていなくても、ボディから冷却ファンのうなりが響き、〝顔〟では円筒形のものが絶え間なく回転している。その様子が、「いま考え中」のように見えてしかたがない。次に何をするか。それを決めるのは〝彼自身〟……、そう思えてくるのだ。

　身長１８２㎝、とやや大柄なヒトサイズの〝彼〟の名は「ＨＲＰ－５Ｐ」。

　略称は「５Ｐ」（ファイブピー）だ。

　産総研の前身である通産省工業技術院の時代から、20年かけて研究されてきたヒューマノイド「ＨＲＰ」シリーズの最新バージョンである。

開発メンバーの一人として、ＨＲＰ－５Ｐの仕事ぶりを見つめているのが、産業技術総合研究所・知能システム研究部門ヒューマノイド研究グループ主任研究員の阪口健さんだ。その厳しい目つきにたじろぎながら、われわれはおそるおそる疑問をぶつけてみた。

——仕事の効率を考えたら、ヒト型ではないほうがよくないですか？

「よく言われますよ。いまやっていた、石膏ボードをビス留めする仕事をするのに、５Ｐは７分もかかっていますからね」

意外にも阪口さんは、笑って答えてくれた。しかしそのあと、阪口さんは真顔になってこう続けた。

「だけど、僕らがめざしているのは、建築現場などで特定の仕事だけをスピーディにこなすようなロボットではありません。実社会に入って、人と一緒に働いたり、人を助けたりできるロボットなんです。

社会のインフラや道具のすべてが、人の身体を前提にデザインされていることを考えれば、そこに入っていきやすいロボットも、必然的にヒト型になるわけです」

街中を人とロボットがともに、当たり前のように行き交う、そんなＳＦ小説を地でいくような未来を、阪口さんたちは真面目に、しかも正面突破によって実現させようとしている……ということのようだ。

ならば、阪口さんたちのヒューマノイドは実際にいま、どこまで人間に近づいているのだろう。隊員はさらに質問を続けた。

●想定外の事態にも、ロボット自身が考えて対応できる

――HRP－5Pはどこまで自分で考えて作業をしているのですか？

「基本的には、5Pは自律的に判断して行動しています。こちらとしては、台の上にある石膏ボードを持って、あそこの壁に打ちつけよ、といった大まかな指示を最初に与えているだけです」

――あの作業で一番頭を使うのは、どうやって台の上のボードをつかむか、ではないかと思いますが、そこも5Pが自分で考えているのでしょうか？

「ボードのつかみかたに関しては、僕らがまず考えて、シミュレーターで検証したうえで、一番よいと思われるやりかたを教えてあります。作業方法を考えるときに、人間が自分の身体感覚に頼りながら考えられるのは、ヒューマノイドのとても便利なところです」

5Pは台の上にある石膏ボードを持ち上げるために、まず、脚の前面を台の縁に当てて体重をそこにかけるようにしながら、ボードの上に覆いかぶさるような前傾姿勢をとる。

①脚の前面を台の縁に当てて体重をかけ、ボードに覆いかぶさるように前傾姿勢をとる

②ボードの端に手の甲にある突起をひっかけ、一番上のボードだけを手前に引き寄せる

③ボードを回転させて持ち上げる。バランスが崩れないよう高出力モーターが制御している

図 2-2 HRP-5Pが石膏ボードを持ち上げる手順

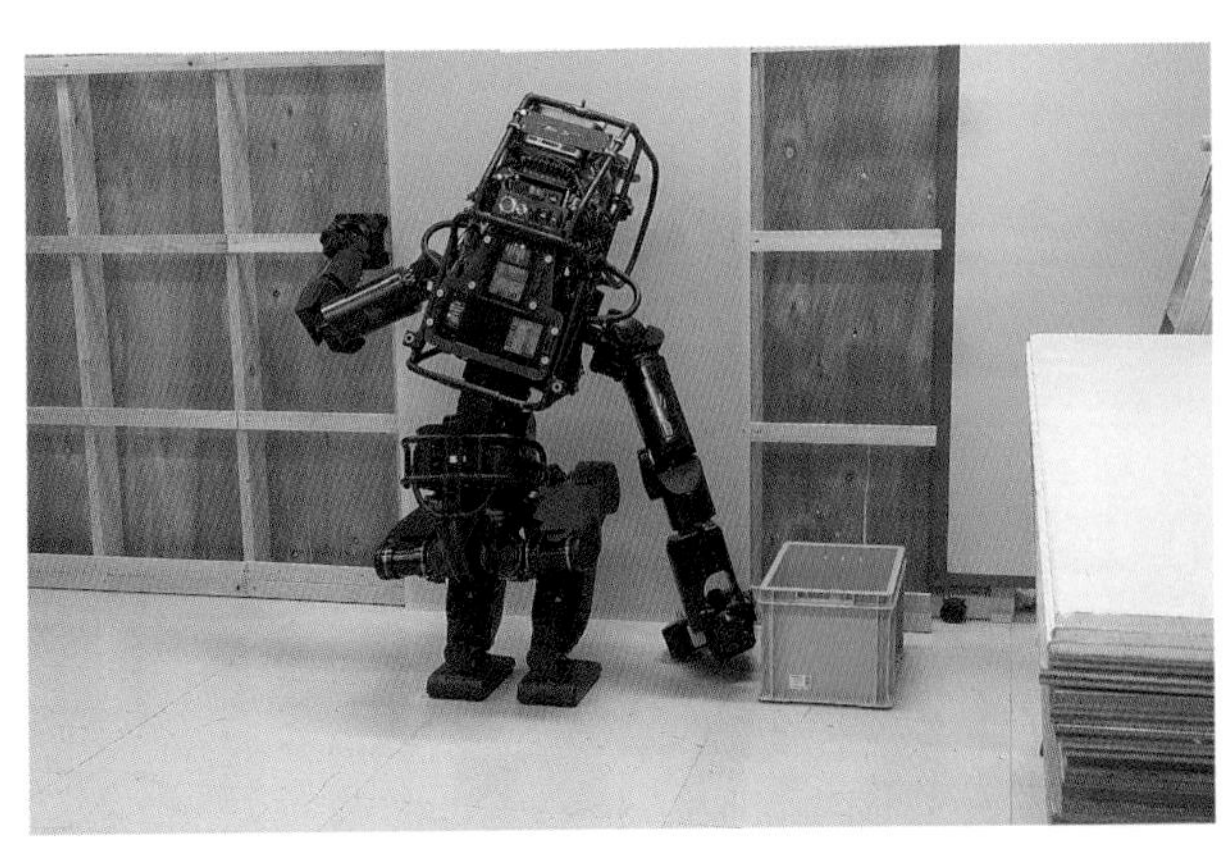

図 2-3 **低い位置のビス留めも、電動ドライバーを使って正確にこなせる**

次に、自分から遠いほうのボードの端に、手の甲に当たる部分にある突起をひっかけて、一番上のボードだけを手前に引き寄せている（図2-2）。そうすることで、一番上のボードだけが手前にずれて、そのボードがつかみやすくなるのだ。

では、直面した状況が教えられた想定と異なっていた場合にはどうなるのだろう？　たとえば、持とうとしたらボードがとても重かったら……。

「石膏ボードは約11kgの重さなのですが、実際、湿気を吸うので、重さは環境によって変化するんです。1～2kgの変化なら、5P自身が判断して行動を調整できます。10kgも変わってしまったら無理ですがね」

ボードの重さだけでなく、作業台の位置や高さなど、さまざまな要素に多少の想定違いがあっても、5Pはその場で、自身で判断して対応できる。あらかじめプログラムされた行動を機械的に再現しているだけではないのだ。

●「道具を使えること」が課題だった

5Pを見ていて「人間っぽさ」を感じるところの一つに、工具を手に持って働いているという点がある（前ページの図2-3）。ロボットだったらドライバーやドリルが必要に応じて身体からニョキッと出てきてもよさそうだが、〝彼〟は人間がするように、工具を箱から取り出して使っている。ロボットを広い意味で「道具」と呼んでいいなら、道具が道具を使う、というちょっと不思議な状況になっているのだ。

「人間のために設計された工具や機械をそのまま扱えるというのは、HRPシリーズのかねてからの課題だったんです」

そう言ったあとで阪口さんは、小さな秘密を明かしてくれた。

「じつは、デモで使っている電動ドライバーは、ちょっとだけいじってあるんです。5Pは指が3本しかなく、じゃんけんでいえばグーとパーしかできないので、トリガーを引くことができません。なので、無線でスイッチが入れられるようにしました。まあ、人間でも職人さんは工具を自分用にカスタマイズしたりしますから、このくらいは許容範囲ではないでしょうか」

阪口さんは続ける。

「それよりも、ロボットが工具をつかんでビスをまっすぐに留められているという点に注目してください。簡単に見えても、ロボットにはなかなか難しいことなんです。解決方法を思いつくまでは、何度試してもビスが曲がってしまうので、かなり苦労しました」

工具の持ちかたがほんのちょっとズレただけで、ビスは曲がってしまう。人間には、手にした工具をあたかも自分の身体の一部のように感じて、工具の角度を繊細に調整できる能力がある。だから、ボードに対して垂直にビスをねじ込むことは難しい課題ではない。

ところが、5Pのようなロボットには自身の身体に対する感覚などないから、手にした電動ドライバーを身体の延長として扱うためには、自分の手と電動ドライバーが精密な位置合わせによって正確に結合している必要があるのだ。

それには、あるブレイクスルーが必要だったという。

「産総研の別のグループが開発していた視覚マーカーが使えないかと思いついたんです。レンチキュラーレンズというものを使って、微妙な角度のズレを検出できるマーカーです。これを工具に貼れば、5Pの手のひらにはもともと小さなカメラがついていますから、マーカーが真正面に来るように位置合わせをしながら工具をつかむことができるようになるのでは、と（図2-4）」

レンチキュラーレンズとは、断面がかまぼこ形の凹凸が、畑の畝のように並んだもの。読者の

電動ドライバーに貼られた視覚マーカー

5Pが手のひらのカメラで電動ドライバーの視覚マーカーを見ているところ

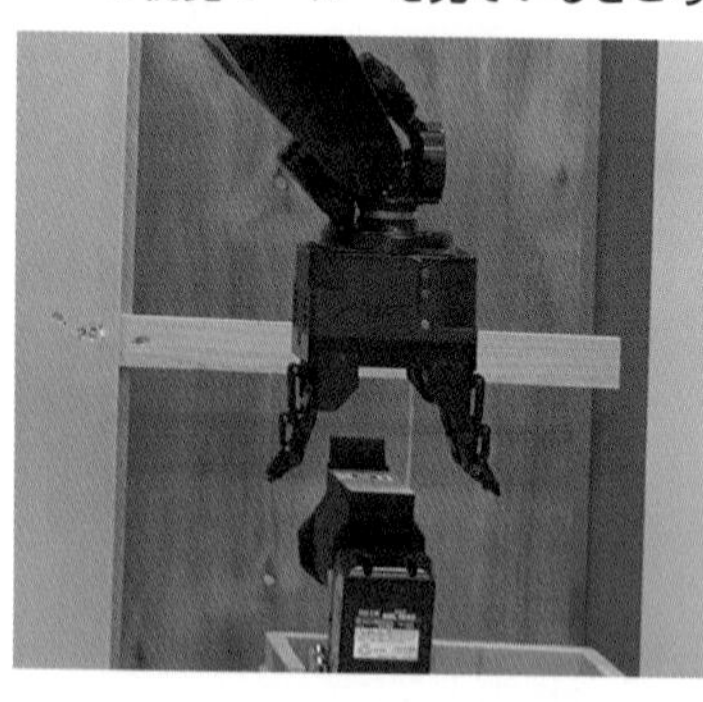

カメラに写った映像

図2-4 手のひらのカメラで視覚マーカーを見て位置合わせ
手のひらのカメラと電動ドライバーのマーカーで位置合わせをして、正しい角度で工具をつかむ

みなさんも、見る角度によって絵が変化するステッカーをどこかでご覧になったことがあると思う。表面をさわるとザラザラしている、あれのようなものと思っていただければいいだろう。

"顔"に搭載されたホットな技術

もう一つ、注目すべきことがある。5Pは、自分の掲げた石膏ボードで視界を遮られた状態のまま、壁際へと移動しているのだ(図2-5)。

5Pは作業の前に、あらかじめ周囲の環境をレーザー測

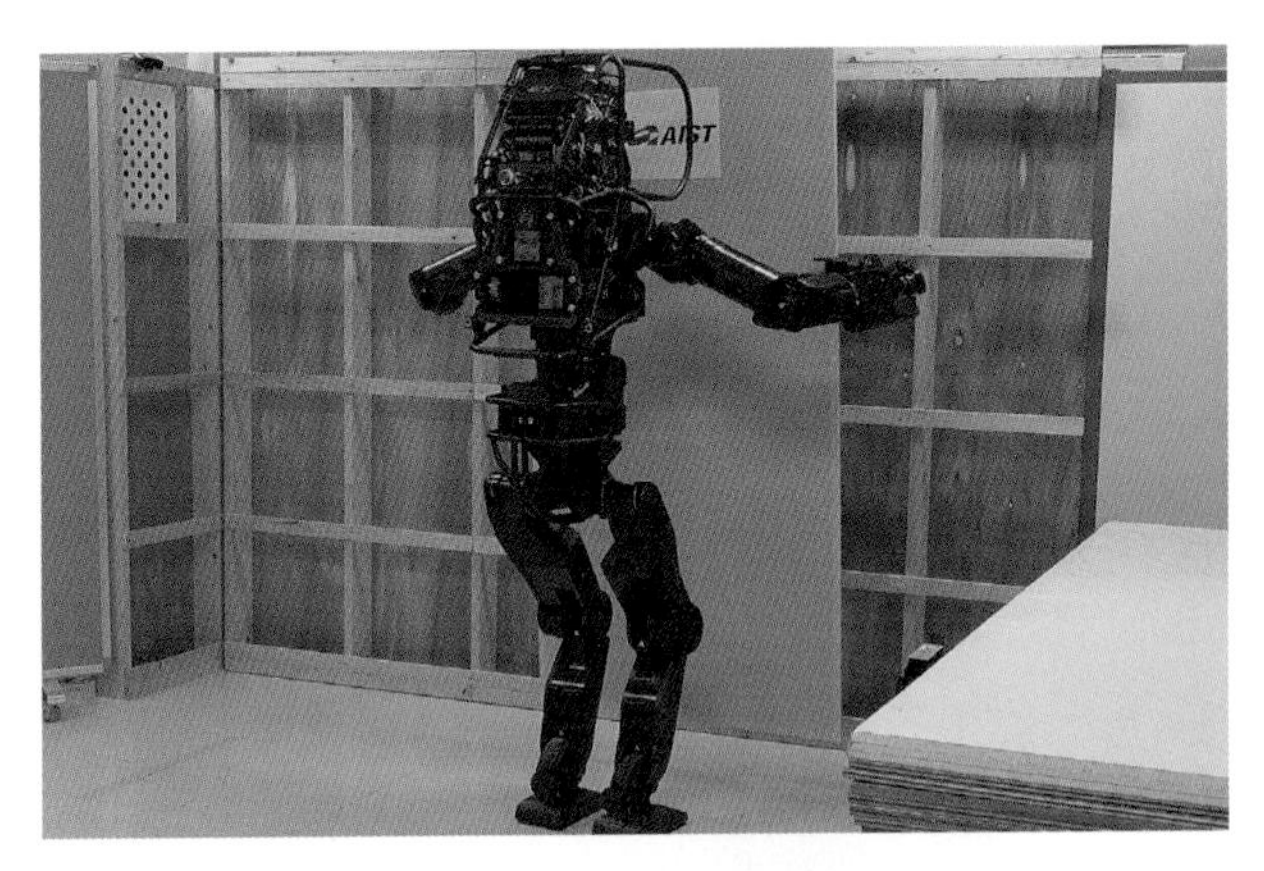

図2-5　5Pは前が見えなくてもめざす場所に移動できる

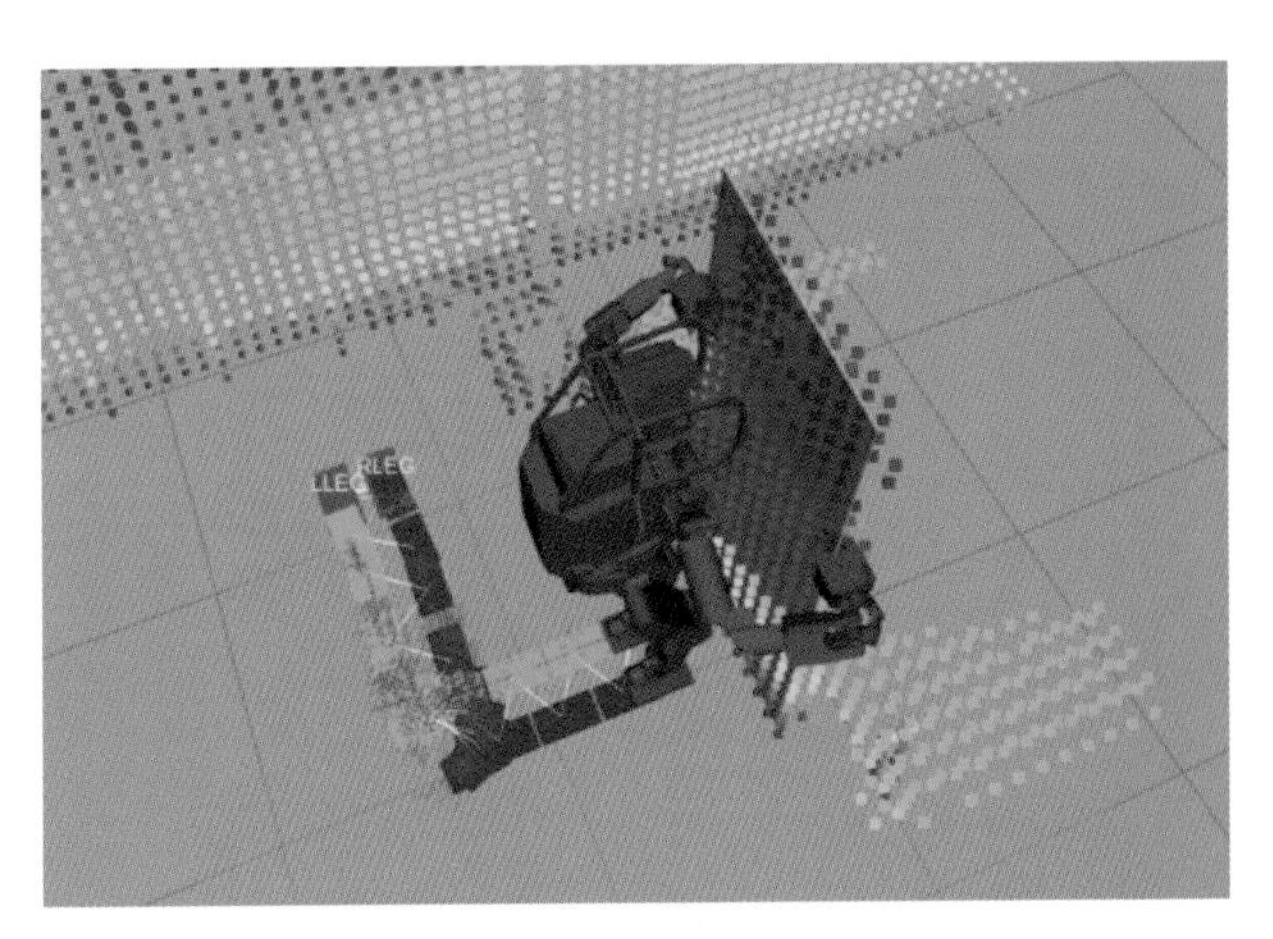

図2-6　作業する環境を測定し、自分の位置を把握する新技術「SLAM」のデモ

定し、3次元マップを作成している。そして動作中はつねに、自身がそのマップ上のどこにいるかを把握している。だから前方が見えなくても、目的の場所へと移動できるという。

これは、人間が作業する場所に到着したら、まずあたりを見回して、だいたいどこに何があるかを把握しておくのと一緒だ。人間だって前が見えなければ、そのときの記憶を頼りにして、石膏ボードを壁まで運ぶだろう。

「ここで使っているのは、『SLAM』（スラム：Simultaneous Localization and Mapping）といって、自己位置同定と地図づくりを同時におこなうホットな技術なんですよ（前ページの図2－6）。環境の測定はレーザーレンジファインダーでおこなっています」

そう言って阪口さんが指さした、例の〝顔〟のところで回転しつづけている円筒形の装置こそがレーザーレンジファインダーだ（48ページの図2－7）。

それはレーザー光を使った距離計で、5Pに搭載されているものは、円筒形の周囲270度の平面を1本のレーザー光でスキャンして、検出物までの距離を測定できる。装置そのものを回転させることで、立体的に周囲の環境を把握できるというわけだ。

データはたえず更新されていて、作業中に障害物が足下に転がってきても対処できるという。

「ただし、もし認識できていないものにぶつかったら、その場合は転倒してしまうでしょう。じつは、5P開発中に僕の家では双子の娘が生まれて、もう歩きはじめたのですが、赤ん坊の彼女たちを見ていると、歩いていて障害物に当たっても、それが動かせるものならグイグイ押していくんですね。障害物から受ける抵抗を感知して、転ばずに進むことができる。人間はよくできているなと思いました。５Ｐにそれをやらせようとしたら、まずトルクセンサーを搭載しないといけない。そうすると、そのぶんの重量が増えるし、バッテリー消費も早くなってしまいます」

５Ｐの頭部にはこのほかにカメラと、額のあたりには「Ａｓｔｒａ（アストラ）」というセンサーが搭載されている。テレビゲームにはコントローラを使わずにジェスチャーで操作するタイプのものがあるが、その場合にジェスチャー認識に使われているのがこのセンサーだ。

「人間ならどれも眼に相当するセンサーですが、５Ｐではセンサーを視覚認識系と距離認識系で使い分けているんです。センサーはほかには、自分の姿勢を検出するジャイロセンサー、手首と足首にフォースセンサー、そして手のひらに小さなカメラがついているくらい。少ないでしょう？　必要性とバッテリー消費やコストを総合的に判断して、センサーの数を絞り込んでいるんです」

阪口さんの話はここから裏話へと移っていった。

●〝頭脳〟の意外なスペック

「人間らしさ」を追求するのであれば、ディープラーニングやいま話題の生成ＡＩなども組み込

図 2-7 5Pの「眼」の下、人間でいえば「口」のあたりで回転するレーザーレンジファインダー

む必要がありそうだ。5Pにはそういったものは使われているのかと聞くと、阪口さんはこう答えた。

「工具の認識、つまりこれから使うべき工具はどれか、を選ばせるさいには、ディープラーニングを使っています。いろいろな工具を並べておいても、90%以上の精度で正しい工具を選ぶことができます（図2−8）」

しかしそのあと、こう続けたのだ——。

「本当は、同じ作業を繰り返すうちに、どんどん動きが洗練されていくような学習もできたらいいのですが、そこは望めません。5Pはそれほど高性能のPCは積んでいないんです。動作全般を決めているコントロール系と視覚系の2つのPCを積んでいるのですが、どちらも消費電力の低いモバイルノート用のものなんですよ」

図 2-8　どの工具を選ぶべきか、ディープラーニングを使って認識している5Pの視界

なんと、最先端のヒューマノイドの頭脳は、われわれがふだん使っているPCのようなものだという。それには、こんな理由があるそうだ。

「ヒューマノイドは外部から電源を供給しない自立型ロボットですから、PC以外にもモーターやセンサーなど、いろんなところに電力を振り分け、そのなかでバッテリーの持ち時間を気にしながら作業しなければならない。なので、フルスペックPCをガンガン回せるわけではないんです」

おそらく阪口さんが取り組んでいるロボット研究は、大企業がやるようなビジネス指向の研究とは違うのだろう。

土地開発にたとえてみれば、大企業はあらかじめ算段のできた土地に対して、ここぞとばかりにブルドーザーやパワーショベルを投入して、圧倒的なスピードとパワーをもって整地していく。

それに対して阪口さんたちは、未開の土地を一歩一歩、踏みしめながら地ならしをして、どこにどれだけの力を注ぐべきかを繊細に見極めつつ、ヒューマノイドと二人三脚で少しずつ目的地へ近づいていく。

その道は細い「けものみち」のようでも、その先には未踏の理想郷があることを信じて。

●「おかしくなりそう」なときもあった

——5Pをつくるにあたって、もっとも苦労したのはどんなところですか?

「とても複雑なシステムですから、バグを見つけるのが大変でした。なにかうまくいかないことがあっても、どこに問題があるのか、なかなか見つからない。ロボットに必要な技術の、それぞれの専門の研究者が集まってつくったので、みんな自分のやっていることに自信があって、問題はほかの研究者の担当部分にあると思いがちなんです。しかも、各自が別々の学会に所属していたり、ほかのグループのメンバーにも横断的に協力してもらっていたりしたので、それぞれのスケジュールが合わず、思うように詰めていくことができない」

そこで、阪口さんたちが採用したのが「チケット制」だった。

問題を発見したらメンバーに対して「こういう問題があります」というチケットを、とあるウェブサービス上で発行する。そのとき、対応すべきと考えられる人の候補を挙げておく。指名された人は自分の担当部分で検討して、問題なしと判断すれば別の人を指名する。対応されずに放置されると、「このチケットは○日間未対応です」とリマインドのメールが送られてくるというしくみだ。

こうしたチケット制で取り組んだバグ潰しで、とりわけ手こずったのは、ロバストネスを高めることだったという。ロバストネスとは、「外乱」に対するシステムの安定性のことだ。端的に言って5Pの場合は、予期せぬところで転んでしまうという問題だった。

「後ろに倒れるなら、うまく尻餅をついて被害を防げるように取り組んできたのですが、横に倒れられると痛いんです。腕が壊れてしまったら、最悪、修理に数ヵ月を要します。そして、5Pは一体しかありません」

実際、阪口さんたちがようやく5Pを完成レベルにまで仕上げ、「プレスリリースできます！」と上司に報告したら、直後に転んで破損してしまい、発表を数ヵ月延期せざるをえなかった、という苦い経験もしているという。

「予算を頂戴していますし、年度年度のシメというのもありますから、〝何が何でも今月中にデモの精度を上げなくては！〟と土日返上で夜遅くまで詰めたことは何度もあります。

3歳の息子には『お父さん、帰るのが遅い！　もっと遊んで！』と連日責められるし、生まれて間もない双子の赤ん坊は昼夜問わずギャンギャン泣くし、実験がうまくいかないことや慢性の睡眠不足も手伝って、ついイライラしちゃって……。でも、もちろん子どもに罪はありませんし、自分で選んだことなので気持ちのもっていきようがなくて、おかしくなりそうなときもありました」

息子さんにしてみれば、お父さんをロボットにとられたような気持ちだったのかもしれない。

「やっと一段落ついて、平日に振り替え休日をとったとき、息子は『お父さんが昼間にいる!』って、それだけでもう大喜びで……」

苦笑いしながらそう言った阪口さんだったが、続けてポロリとこう漏らした。

「でも、僕の人生、めちゃめちゃ幸せかも。小学生の頃からロボットをつくりたいと思いつづけていて、それがいま、仕事になっているんですから」

ロボットアニメの夢を現実に

ロボットに惹かれたきっかけは、テレビアニメ『マジンガーZ』(1972~74年放送)だったという。

「エンディングで、マジンガーZの中はこうなっている、みたいな絵が出てくるんです。毎週、『ああ、こうすればロボットができるんだ』と思いながら見ていました。中学の進路指導の先生

図 2-9 産総研HRPシリーズの歴代ヒューマノイド
左からHRP-2、HRP-3、HRP-4C、HRP-5。女性型のHRP-4Cのみエンターテインメント分野などでの活躍が期待されているが、そのほかは作業用ヒューマノイドだ

にも、高校の進路指導の先生にも『ロボットを設計したいんです』と言いつづけていましたね」

入学した大阪大学では、ロボット研究の第一人者、有本卓教授に師事するつもりだった。しかし有本研究室は人気が高く、学生の受け入れ枠は大変な競争率だった。阪口さんは同期生とじゃんけんで争い、みごとその枠を勝ち取った。大学を卒業して産総研の前身の一つ、機械技術研究所に入所後は、最初は自動運転技術の研究に配属されたが、2005年からは念願かない、ヒューマノイド「HRP」シリーズ（図2-9）の研究グループに移ることができた。

HRPの研究室に入ってまず目に飛び込んできたのは、壁に大きく掲げられた『鉄腕アトム』のポスターだった。「めざす方向はこれなんだな」と阪口さんは思ったという。

「僕らがやっていることは、あくまでも基礎研究なんです。僕らの研究がメーカーに引き継がれて、初めて実用化につながります。自分たちのつくったヒューマノイドがプロトタイプになって、将来、社会で役に立ってくれれば、こんなうれしいことはありません」

阪口さんの目が一瞬だけ、遠くを見る目になる。そして、こう結んだ。

「5Pのデモ動画は、建築業界を中心に内外から大きな反響がありました。けれど、5Pの働く場所は建築現場だけではありません。航空機や船舶など、広く大型構造物の製造現場で働くことも念頭につくられています。そのあたりをもっとアピールするためには、5Pの違う仕事ぶりも見ていただく必要があるでしょう。現在、新しいデモ動画の制作を始めているところです」

阪口さんには不屈の意志がある。ロボットアニメ世代よ、逆襲せよ――同世代の隊員は、心の中で密かにそう願った。

探検時のPROFILE

阪口　健
さかぐち・たけし

知能システム研究部門
ヒューマノイド研究グループ　主任研究員

探検隊がここへやってきた2019年1月以降、コロナ禍により、さまざまな変化が起こりました。配膳ロボットが普及し、配送でもドローンやビークル型ロボットの試験運用が盛んとなりました。また、雇用不足が深刻化してきたことから、人の代わりに作業するヒューマノイドロボットの登場が望まれるようになり、海外のさまざまな会社も開発に乗り出して、あたかもブームの様相を呈しはじめています。これまでヒューマノイドロボットは使い物にならない、商売にならないといわれ幾度も事業撤退の憂き目を見てきた流れを脱し、ようやく現場導入も実現しました。

産総研でのヒューマノイドロボット開発は、ハードウェア開発は一区切りとなり、現在は川崎重工業のKaleidに知能化技術を導入することで研究開発を推進しています。HRP-5Pは、もちろん、いまも現役です。

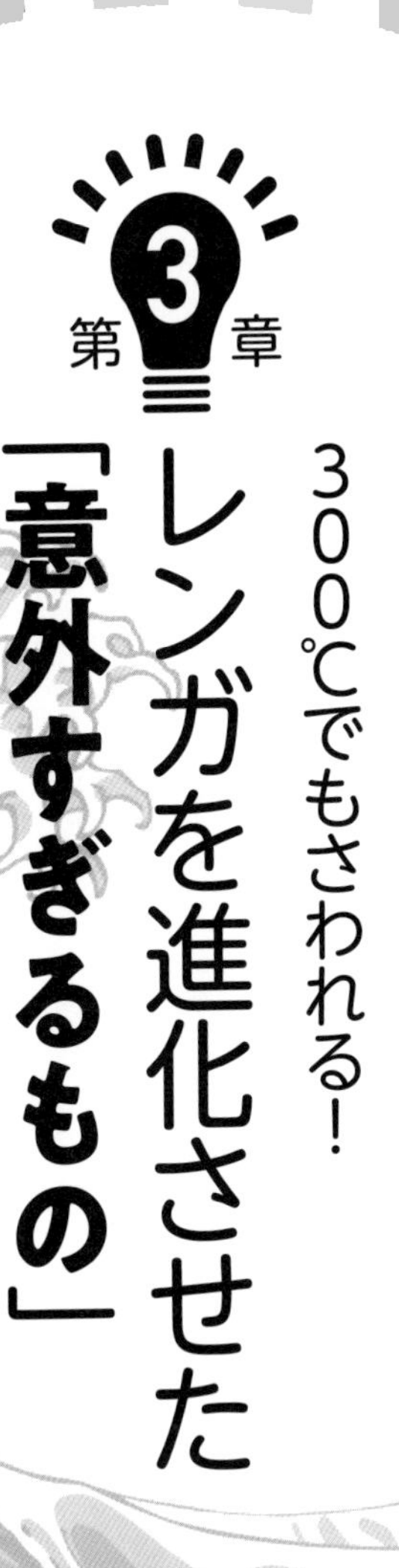

第3章

300℃でもさわれる!
レンガを進化させた「意外すぎるもの」

「レンガ」と聞いて、読者は何を思い浮かべるだろうか？

多くの人は、東京駅などの赤茶けた建築物や、茶碗などの焼き物をつくる窯（かま）のようなものを想像するのではないか。いずれにしてもそこには、古きよき時代の名残を感じさせる風情がある。

粘土や泥を焼き固めたレンガ（漢字で書くと「煉瓦」）は、紀元前3500年に発祥したメソポタミア文明の頃から、そのすぐれた耐火性能が重宝されて建築材として使われてきた。木造建築だらけで江戸時代は火事が絶えなかった日本でも、明治以降は急速に広まっていった。

そんな、材料の世界ではレトロ中のレトロともいえるレンガを、なんと「最先端の断熱材」として生まれ変わらせようとしている、奇特な人がいるという情報が入った。その人は、愛知県名古屋市の産総研・中部センターで研究に没頭しているという。瀬戸焼や常滑（とこなめ）焼などの焼き物の歴史がある県だから、レンガにとりつかれてしまったのだろうか？

いろいろ気になった探検隊は、その人、マルチマテリアル研究部門セラミック組織制御グループ研究グループ長の福島学さんを訪ね、話を聞いた。

●「炉」はエネルギーロスの代名詞

——レンガが断熱材であるというイメージはもっていなかったのですが？

「鉄鋼やセメントなど、炉を使って加熱する工業製品をつくるさいには、炉の中の熱エネルギーを外に逃がさないための断熱材として、レンガが使われています。あるいは、ゴミ焼却炉などでも同じです。ところが、じつはこのとき、熱エネルギーの98～99％は捨てられているのです」（福島さん）

――えっ！　そんなにロスがあるんですか？

「セメントやガラスなど、炉で焼いて製品化する工業は『窯業（ようぎょう）・土石製品製造業』と分類されますが、この分野で製品化されるものは、金額ベースでいえば全生産業のなかで3％程度にすぎません。ところが、そのために使うエネルギーは7％近くにもなるのです。

しかも、熱エネルギーを捨てているのと同時にCO_2（二酸化炭素）も排出しています。現実の問題としては、その捨てている熱エネルギーに対しても燃料費がかかっているわけですから、大きな問題を抱えているのです」

●ゴミ焼却炉の近くに温水プールがある理由

――すると、よくゴミ焼却炉の近くに温水プールがあるのを見かけるのは、捨てられている熱エネルギーが大量にあるから、それをいくらかでも再利用している、ということですか。

「そのとおりです。炉を加熱してゴミを燃やすにしても、熱エネルギーを使って温めているのは、じつは炉の中に敷き詰められた断熱材、つまりレンガということになります。しかし、あま

レンガを使った炉のとんでもないエネルギーロスについて語る福島学さん

りにも出ていく熱エネルギーが多いので、その熱を再利用して温水プールを温めています。レンガがすぐれた断熱材として熱を遮断してくれれば、炉の中で熱エネルギーは効率よく使われます。燃料費も下がるし、CO_2の排出もそのぶん減らせるのです」

——では、すぐれた断熱材をつくるためのポイントとなるのはどんなことでしょうか。

「空気です。いかに空気を中に含ませるか、です」

えっ？　空気!?

● ダウンジャケットはなぜ暖かいか

「断熱効率を上げるには、熱伝導率の低いものを、熱源と外気のあいだに挟めばいいのです。冬になるとみなさんダウンジャケットを着ていますが、あれが暖かいのは、熱源である身体と寒い外気のあいだに、ジャケット内部のダウン（羽毛）で空気の層をつくっているからです。

空気の熱伝導率は0・0241W／mKと圧倒的に低いので、真空空間を除けば、空気の層をつ

図 3-1 **二つのレンガを比較するようす。その温度差は一目瞭然だ**

くるのがもっとも効率的な断熱法ということになります」

なるほど。炉にダウンジャケットを着せて、熱を外に逃がさないことが大切なんだ。

「レンガが崩れない程度の強度を保ちながら、レンガの中にどれだけ空気の孔（あな）を入れることができるか——。それが断熱レンガの性能につながるのです。じつは、われわれがつくったセラミックスのレンガは、研究室のレベルですでに98％の断熱性を備えています」

ええっ⁉　なんですか、そのレンガは？

● 300℃に熱しても手で持てる

98％の断熱性があると、下から火であぶっても、熱の伝わらなさはパンも焼けないレベルになるという。それが断熱レンガなのか。

不思議な感覚にとらわれていたら、福島さんが一枚の写真を見せてくれた（図3－1）。

「これは、300℃に熱した鉄板の上に3時間、レンガを置いて加熱したものです。サーモカメラで撮影すると、市販のレンガ（上）は黄色になっていますが、われわれが開発したレンガ（下）は青く、室温程度です。勇気を出して手に取ってみましたが、やけどをすることもなく普通に持つことができました（笑）」

福島さん、意外と無茶しますね。

「じつは、NASAのタイル工場の方がやっていたデモを真似してみたんですよ（笑）。YouTubeに上がっていた映像を見ていたら、焼き上がったばかりの、スペースシャトルの外壁に使うタイルを、素手で持ち上げていたんです。そのタイルもわれわれのレンガと同じように中に空気を入れる断熱タイプですから、熱伝導率が非常に低く、高温の窯から出したばかりでも素手でさわることができるんです」

スペースシャトルの外壁は、地球突入時に機体が高速で前方の空気を圧縮するため、超高温になる。その熱から船や船内の人を守るために、このようなタイルを張りめぐらしているわけだ。

● レンガ内部の9割が空気!?

――でも、レンガの中にどうやって空気を入れるのですか？

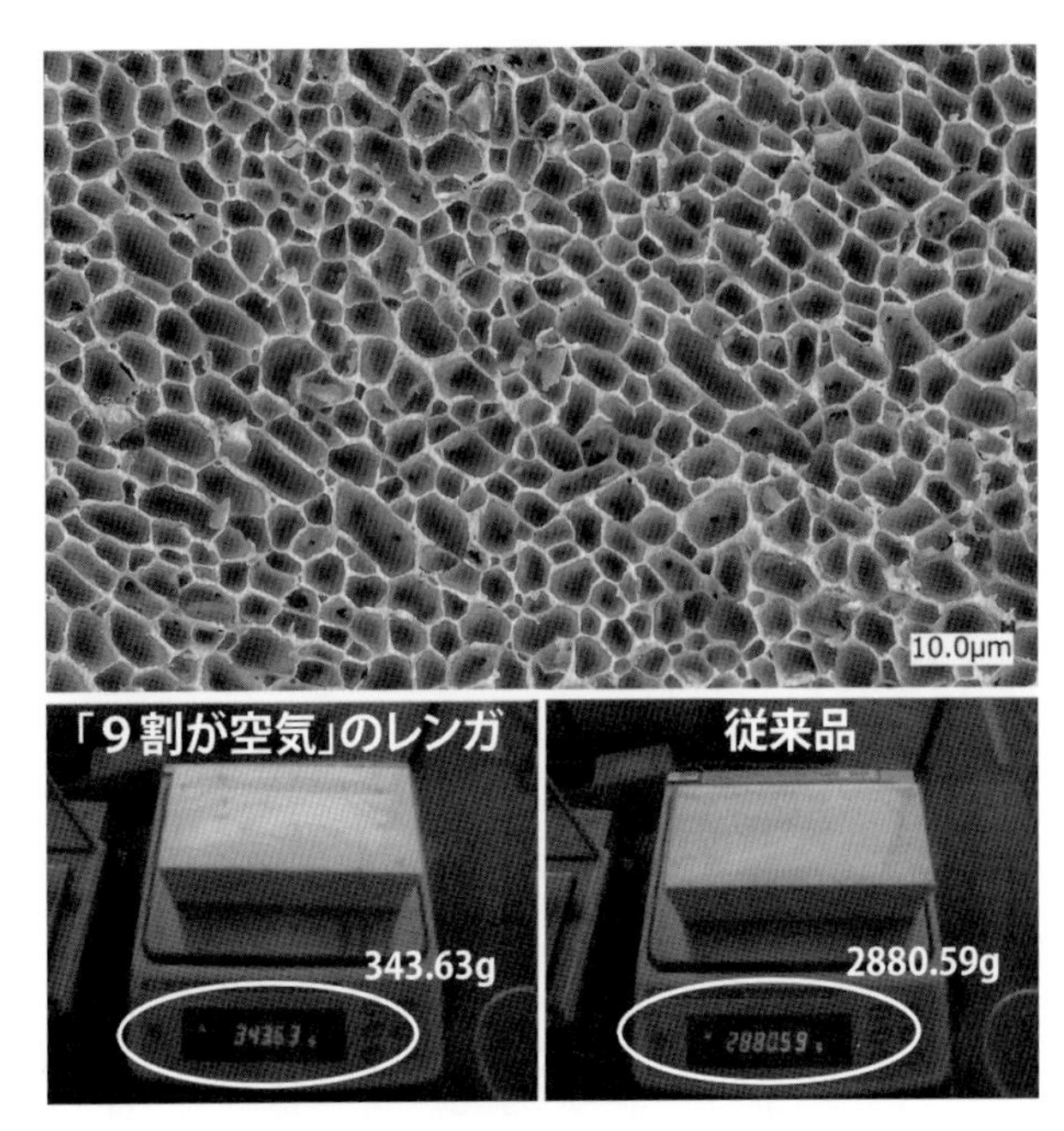

図 3-2 「9割が空気」の断熱レンガ

「小さな孔をたくさん空けてやります。基本的に、空気の熱伝導率は、たとえば金属アルミニウムだと1万倍ぐらい高い。ですから、できるだけ固体の部分を減らして、空気の容積を増やすことが要求されます。画像解析をしてみると、われわれの断熱レンガは9割が空気で、残りの1割が原材料のセラミックスでできていることがわかりました（図3－2）」

――原材料が1割⁉　たったそれだけで、どうしてレンガの強度が保てるのでしょうか？

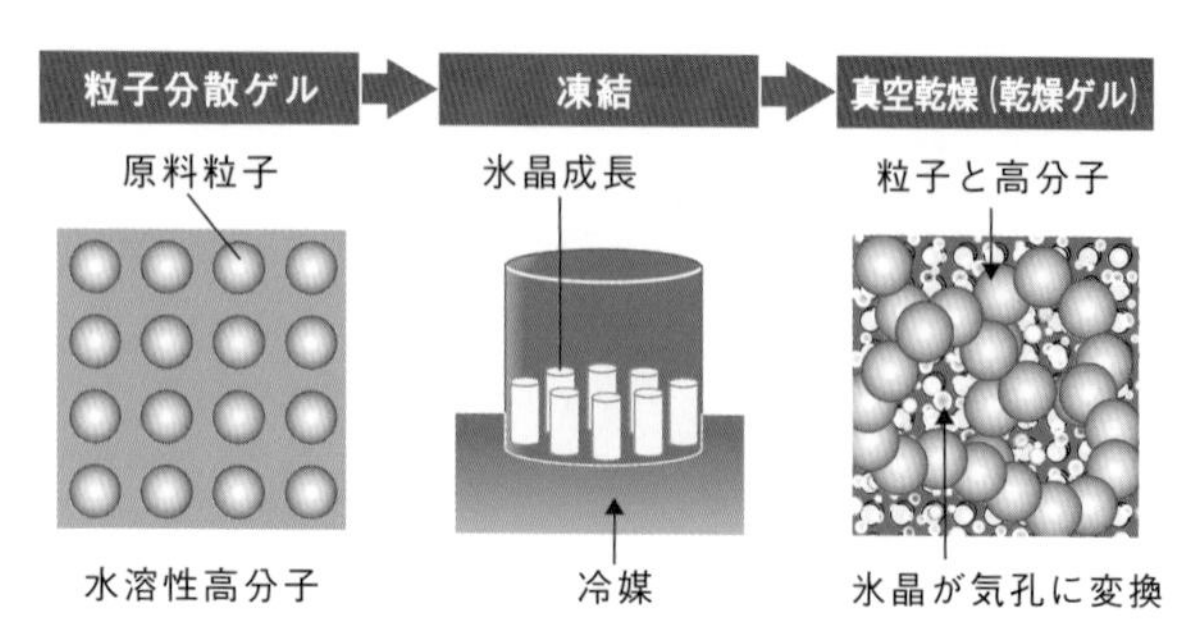

図3-3 **ゲル化凍結法の概略図**

ゲルを凍結させたあとに、氷(水分)を乾燥させて取り除き、焼成することで細かい孔ができる

「カギとなったのは、特殊な製造法です」

そう言うと福島さんは、じつに意外なものの名前を口にした。

ヒントは意外な食品にあり!

「これは産総研の特許でもあるのですが、高野豆腐型のセラミックスをつくるのです」

――高野豆腐? それが特殊な製造法なんですか?

「正確には、『ゲル化凍結法』という製法です。この方法によって、論文ベースとしては、90%以上の空気を含むセラミックス材レンガ群のなかでは、世界でもっとも強度の高いレンガをつくることができます」

――高野豆腐型というのはどういう意味ですか?

「高野豆腐やしみ豆腐は、冬の寒い日を利用して豆腐を外で凍結させ、翌朝の太陽光で乾燥させてつくるもので、内部には空気の孔がたくさん空いています。『ゲル化凍結法』は、ゲル状の水とセラミックスの粉を混ぜて凍結させ、フリーズドライのように乾燥させて水分を抜き、最後に焼き固める製法ですから……」

――本当に高野豆腐のようにつくっているんだ！

「そうなんです。原料となる粒子をゲル体の中に入れて凍結させると、寒い日にできる霜柱のように、氷とセラミックス粒子が分離して結晶化します。これは、氷結晶の独特の性質からきています。

図3－3に示すように、セラミックス粒子が氷の柱を取り囲むように移動して凍ります。わかりやすい実験でいうと、湯飲みのお茶を凍らせると、お茶の濃い部分と、薄い部分に分離して凍ります。これは、氷は氷でピュアになって集まる性質があることから起きる現象なんです」

打開策を探して北海道へ

――水がゲル状である必要性はどこにあるのでしょうか？

「普通の水とセラミックス粉でも試してみましたが、それだと凍結するときに氷が自由に成長してしまうのです。まるで雪の結晶のように、一本の柱から次々と枝分かれした氷が結晶化して、大きく成長してしまう。すると氷を溶かしたときに、そこが大きな孔になって残ります。

望ましい氷結晶は、蜂の巣のようなハニカム構造をした形です。この構造は、縦に押す力に対して非常に強さを発揮します。そのため、氷を自由に成長させないように、液体と固体の中間であるゲル状のものを使うのです。いわば寒天ゼリーのような状態で凍らせると、氷結晶は自由に成長しない。均一的にできた氷を蒸発させてやれば、そこに均一的な孔ができるというわけです（図3－4）」

こうした工夫によって、「小さな孔がたくさん空いたレンガ」はできた。ところが、それでも不規則に空いてしまう氷の孔はあった。それが福島さんは気になったという。「不規則な孔」は、

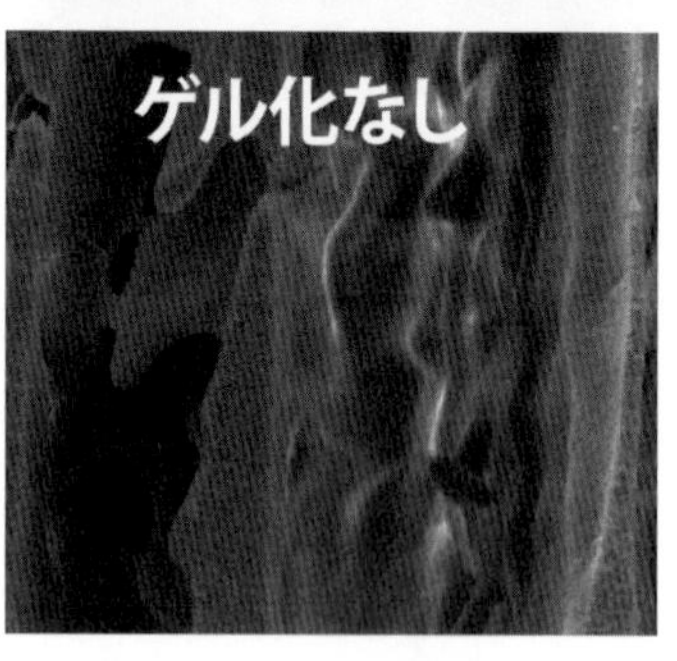

図 3-4 氷結晶の比較
均一的な孔をどうつくるか

レンガの強度に関わる重要な問題だからだ。

「レンガとしての強度を保ったまま空気の孔を増やすという相反することを両立させるために、できるだけ熱伝導率の低いセラミックス原料を使っていました。しかし、氷の熱伝導率より低い原料だと、どうしても不規則な氷の成長が避けられず、ときどき大きく成長してしまう氷が出てくる。それが不規則な孔になってしまうのです」

その打開策がなかなか見出せず、福島さんは悩みに悩んだ。産総研のさまざまな研究分野を当たって、解決法を探った。そうした模索のなかで、産総研の北海道センターでおこなわれていた「不凍タンパク質」の研究に行き当たった。さて、不凍タンパク質とはなんだろう。

南極海の魚はなぜ凍らないのか

もともとは、1960年代にアメリカの研究者が、「北極や南極で生きる魚は、なぜ凍ることなく生きているのか」という疑問から、極地にいる魚を調べ、その血液の中に、凍りにくいタンパク質の血漿（けっしょう）が含まれていることを突きとめた。

氷は、雪の結晶がそうであるように、六角形をした結晶の側面が伸びていくことで大きく成長する。不凍タンパク質は、その結晶の側面にくっついて、氷を成長させないようにして生体の凍結や再結晶を防ぐことで、生物の生命維持のために機能しているのだ（図3－5）。

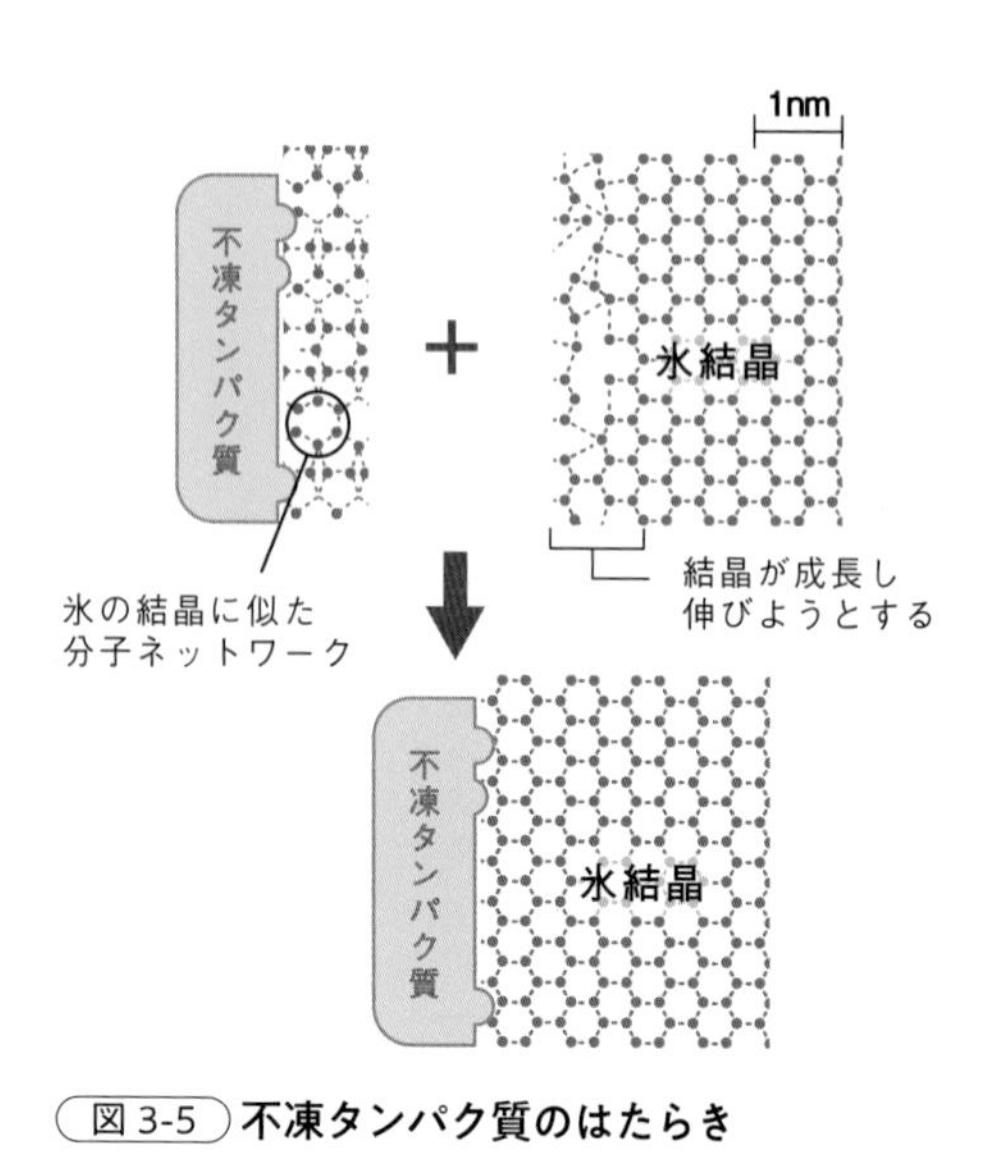

図 3-5 不凍タンパク質のはたらき

だから、不凍タンパク質をもつ極域の魚たちは、凝固点降下（水に溶質が融けているため凝固点が下がること）によってマイナス2〜3℃にもなる冷たい海の中でも、血液を凍らせることなく生き延びているのだ。

不規則な氷の成長をどうしたら止められるかに悩んでいた福島さんにとって、不凍タンパク質との出会いは、まさに運命的なものに感じられたろう。

● グラムあたり130万円の「超」高級品

問題は、不凍タンパク質が、極地の魚の血液からしか精製できないことだ。1gあたり130万円以上もの高値がつく〝高級品〟だったという。

この問題を克服するために、北海道センターのチームは、北海道に分布する植物や昆虫などにも不凍タンパク質の成分があることを発見し、食品メーカーとの共同研究を通じて不凍タンパク質を安価につくる技術を開発していた。

その担当をしている研究者に福島さんが連絡を取ると、こう言われて歓迎されたという。

「不凍タンパク質が、ほかの想像もつかない分野で使える日がいつか来ると思っていました」

生物分野で開発した技術が、セラミックスという素材分野で活かされる――。まさに研究者冥利に尽きる瞬間だろう。

「産総研にはじつにさまざまな研究分野があるので、所内を探索するだけでもいろんな可能性が広がるんです。この不凍タンパク質の粉末を原料の中に0・25％入れるだけで、不規則に伸びる氷がなくなり、氷は小さく揃った粒になりました。そのサイズも3分の1から10分の1まで小さくなったのです」

●震災後の節電対策が転機に

こうして生まれた断熱レンガを製造する工場が現在、パートナー企業によって建設中だという。レンガは「並形レンガ」と呼ばれるサイズで、縦230㎜、横114㎜、幅65㎜。凍らせてから乾燥・焼き付けをおこなう特殊な製法のため、従来のレンガ工場では製造することができないそうだ。価格も高めになるのだろう。

しかし、これが鉄鋼業やセメント工場、窯業などの炉、あるいはゴミ焼却炉などで利用されるようになると、とてつもない違いが明らかになる。なにしろ、これまで捨てられてきたおよそ99%もの熱エネルギーが再利用できるのだ。そしてCO_2の削減にもなり、燃料費の削減にもつながる。

「小さな気泡をセラミックスの中につくる『多孔体』の技術そのものは、２００６年頃から開発を始めていたんです。１９９９年でしたか、当時の石原慎太郎都知事がペットボトルに入れたススを振って、ディーゼルエンジンを追放すると宣言しましたね。そこで、多孔体を使ってＮＯｘ（ノックス）（窒素酸化物）など有害物質を吸い取るフィルターがつくれないかと考えていました。しかし、その使い道はなかなかうまくいかず、次にこの技術を応用できると考えたのは、２０１１年の東日本大震災のときでした」

当時、全国各地で大型施設の電力消費が抑えられ、多くの研究者が喫緊の課題として節電に取り組んだ。そのとき、多孔体が断熱材として機能するのではないかと「研究を水平展開してみた」のだという。多孔体の用途を、「断熱性を高めてエネルギー消費を抑える」ことに切り替えたのだ。

●70年ぶりに進化した技術

「じつは、現在の市販のレンガの技術は、70年前からほとんど変わっていないんです。レンガに適したよい土を練って乾燥させ、焼いて固める。いってみれば、1000年以上前から、よい土がある場所で、レンガや陶磁器は同じようにつくられてきました。よい土とは、天然ものの粘土のことです。化学的にいえば、二酸化ケイ素（SiO_2）と酸化アルミニウム（Al_2O_3）を含む粘土です。これに水を加えて成形し、それを焼いたものがレンガになったり、陶磁器になったりしました。

そのレンガの製法においても、内部に孔を空けて断熱材としての役割を担おうという発想はありました。たとえば、原料の中におがくずを入れたり、有機物のアクリルボールを入れたりして焼く。そうすると中に孔が空きますから、断熱効果は上がる。しかし、焼く段階でおがくずなどを燃焼する過程でCO_2を出してしまう。断熱によってCO_2を減らそうとしているのに、製造時にCO_2を出してしまっては意味がありません。だから、CO_2が出ない水や氷を使って孔をつくることを考えたんです」

およそ70年もの間、変わらないままだったレンガづくりの技術に、進化の時が訪れた。

場所によって土の素性は変わります。ここ愛知県では、昔からよい土が採れたので、瀬戸焼や常滑焼などの焼き物が発達したのです。土の中に含まれる金属は焼くことで酸化され、非常に熱に強い酸化物になります。金属が酸化したものが『セラミックス』です」

なるほど、なんとなく耳に馴染んだ言葉なので素通りしてきたが、「セラミックス」ってそういう意味だったのか。そして先人たちによって１０００年以上も培われてきたレンガの技術は、セラミックスという新しい材料と出会った。

「技術はどこかで廃れることなく、誰かが別の用途で蘇らせてくれるものなんです」

本当にそう思う。昔ながらの耐熱レンガは、断熱という新しい息吹によって現代に生まれ変わった。それは、CO_2削減やエネルギーロスの解消が求められるいま、必然的に現れた技術なのかもしれない――。すでに完成したように見える成熟技術にも、きっと、いくらでも改善や進歩の余地があるのだろう。福島さんの話を聞いて、そう実感した。

――福島さんの今後の目標はなんですか？

「空気に匹敵するような、熱伝導率の低いセラミックスをつくりたいですね。強度を備えたまま、空気の孔を増やしていく工夫を考えています」

空気のように、あって当然、そのことに気がつかないほどの存在。そんな高性能断熱材が広まっていけば、課題山積のCO_2削減も、現実のものとして見えてくるに違いない。

探検時のPROFILE

福島 学
ふくしま・まなぶ

材料・化学領域　マルチマテリアル研究部門
セラミック組織制御グループ　研究グループ長

複数の材料を接合した場合の機能と信頼性の向上を目的として、各種セラミックスの特性を微細組織制御の手法を用いて向上させる研究などをおこなっています。
具体的には、次世代パワーモジュールや人工知能(AI)、高機能断熱材、軽量材料などに使用される高気孔率セラミック多孔体の新規作製手法を開発しています。ここで紹介したレンガは、高気孔率セラミック多孔体の一つとして開発したものです。従来品と同じ大きさでも、持ってみるとものすごく軽いレンガです。機会があればぜひ手に取ってみてください。

第4章 エネルギー問題が変わる！ 日本の「地中熱」のすごい可能性

「高いよなあ……」

「高いですねえ……」

電気料金の高騰が日本列島を直撃していた２０２３年初頭。都内某所にある探検隊のオフィスでも、今月分の電気料金をにらみながら隊長とＫ田隊員がため息をついていた。

「なんでこんなに高いんだ？」

「やっぱりロシアのウクライナ侵攻の影響で原油や天然ガスが値上がりしていますし、地球温暖化対策のために化石燃料の使用にも制限がかかっていますからね」

「なんとかならないのか？」

「政府の支援策（電気・ガス価格激変緩和対策事業）は始まりますが、ことは世界のエネルギー問題に直結する話ですから、根本的な解決は難しいでしょうね」

事実、電力大手各社はこのあと、相次いで値上げに踏みきっている。

エアコンを切ったままのオフィスで、隊長は大きなくしゃみを連発しながらＫ田に命令した。

「こ、こんなとき、産総研なら、なんとかしてくれるんじゃないのか。すぐに電話してみろ！」

「そ、そんな、ウルトラマンじゃあるまいし……」

しぶしぶ電話をかけたＫ田が、受話器を置くと声を弾ませて言った。

「隊長！　産総研の人が、いまから来てくれるそうです！」

地熱じゃないよ、〝地中熱〟だよ

「あなたが産総研のウルトラマン？」

隊長が尋ねると、オフィスに現れたその人は、にこやかに答えた。

「いいえ、営業マンです」

渡された名刺には、「産業技術総合研究所・福島再生可能エネルギー研究センター地中熱チーム研究チーム長内田洋平」とあった。

「私たちが開発しているエネルギーを、たとえば冷暖房に利用すると、消費電力を通常の3〜4割も削減できます。しかも、二酸化炭素の排出量も4〜5割削減できるんです！　私は研究をしながら、このエネルギーのことをもっと知ってもらうための活動もしている、自称〝営業マン〟なんです」

内田さんのいきなりのアピールに、隊長とK田は前のめりになった。そんな都合のいいエネルギーがあるの

自称"営業マン"の内田洋平さん

か？

――いったい、そのエネルギーとはなんですか？

「それは、地中熱です」

――地中熱？　ああ、地熱のことですね。知ってますよ。地熱発電とかに使われるんでしょ？

「みなさん、そうおっしゃいます。でも、全然違います」

――えっ⁉

「地熱は、地下２０００～３０００ｍほどの深いところがマグマの熱によって２００℃とかそれ以上の高温になっているのを、発電などに利用するものです。しかし地中熱は、もっとずっと浅い、数十メートルからせいぜい１００ｍくらいの地下から採る熱です。温度としては、その土地の年間平均気温よりもほんの少し高いくらいです。地熱が地球深部の活動による熱なのに対して、地中熱は太陽によって温められた地盤の熱なんです」

――はあ……。そんな生ぬるい温度で、なんか役に立つんですか？

「発電には利用できません。ですが、バカにしてはいけません。じつは縄文人も、地中熱を利用していたことがわかっているんです」

――じょ、縄文人が地中熱を？

「彼らが住んでいた竪穴（たてあな）住居の遺跡は全国で発見されていますが、平均して深さ50㎝ほどの穴が掘られていたことがわかっています（次ページの図4－1）。なぜ彼らはそんなことをしたのか」

内田さんは少しためてから、隊長とK田隊員の目を見ながら続けた。

「掘り下げた地面は、夏は涼しく、冬は温かいことを知っていたためと考えられています。**地上の気温は季節によって変わっても、地中の温度は年間を通してほぼ一定**だからです。竪穴住居の穴は、寒冷な北へ行くほど深くなる傾向があることもわかっています」

● 地中では、熱はものすごくゆっくりと伝わる

――へー、なるほど。でも、どうして地中の温度はあまり変わらないのですか？

「これを見てください」

内田さんはバッグからノートPCを取り出して、**【地下温度の季節変動】**と題されたグラフを示した（81ページの図4－2）。四季ごとの地中の温度が、色分けされた線で示されている。

「まず、上のグラフでは、深さ0mの地表から出ている線はどれも、地下に向かって滑らかなカーブを描いています。ところが、深さ10m以下になると、4本の線がすべて平均気温15℃のところで一つに重なっていますね。これは、この深さでは年間を通して、このくらいの温度だという意味です。だから地中では、冬は気温より暖かく、夏は気温より涼しい。下のグラフのように、この気温との温度差をメリットと考えれば、私たちはこれをもっと賢く利用することができ

図 4-1 竪穴住居
床が地面より低いことに注目！
photo by Whitechocolate（public domain）

るのです。そのためのしくみが、みなさんに知っていただきたい地中熱利用システムなんです」

省エネにも、温暖化対策にも地中熱が有効！

内田さんはオフィスの壁にあるエアコンを指さして言った。

「従来のエアコンは、部屋の中にある室内機と、戸外にある室外機からできていて、それぞれの中にある熱交換器どうしがパイプでつながれています。このパイプの中で冷媒ガスにのせた熱を循環させて、冬は戸外から熱を室内に取り込み、夏は室内から戸外へ熱を排出しているわけです」

それは、第1章の探検でも勉強したのでだいたい知っている。

「ところが地中熱利用システムでは、エアコンでいえば室外機の熱交換器にあたるものを、地中に埋めてしまいます。地中に埋める部分を『地中熱交換器』と呼びます」

――熱交換器を土の中に埋めると、何かいいことがあるんですか？

「大ありです。たとえば冬にエアコンが、室内に25℃の温風を出すには、戸外から室外機で熱を

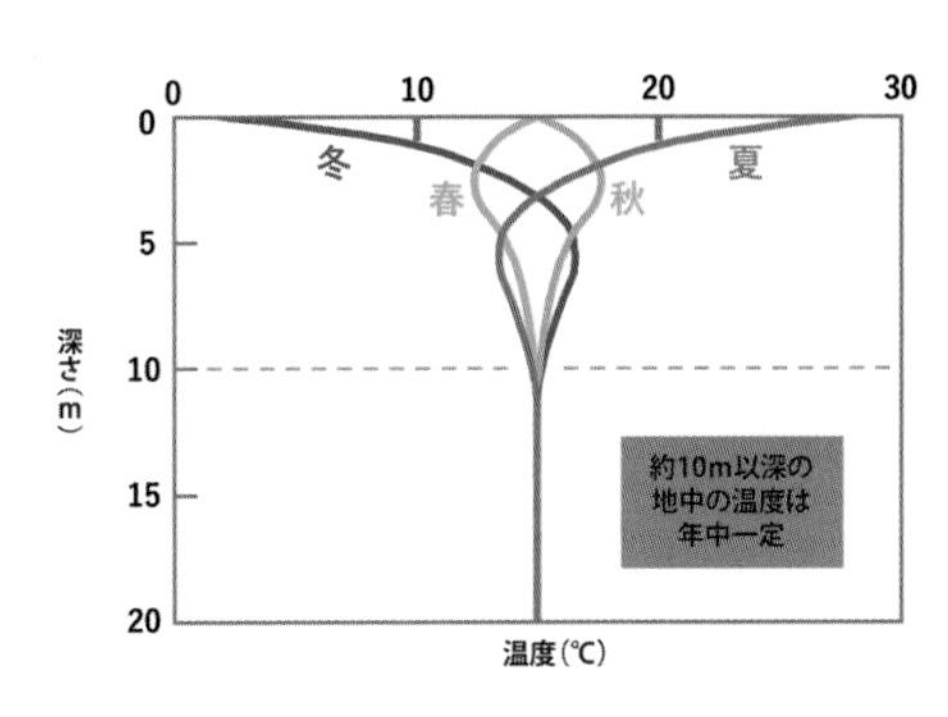

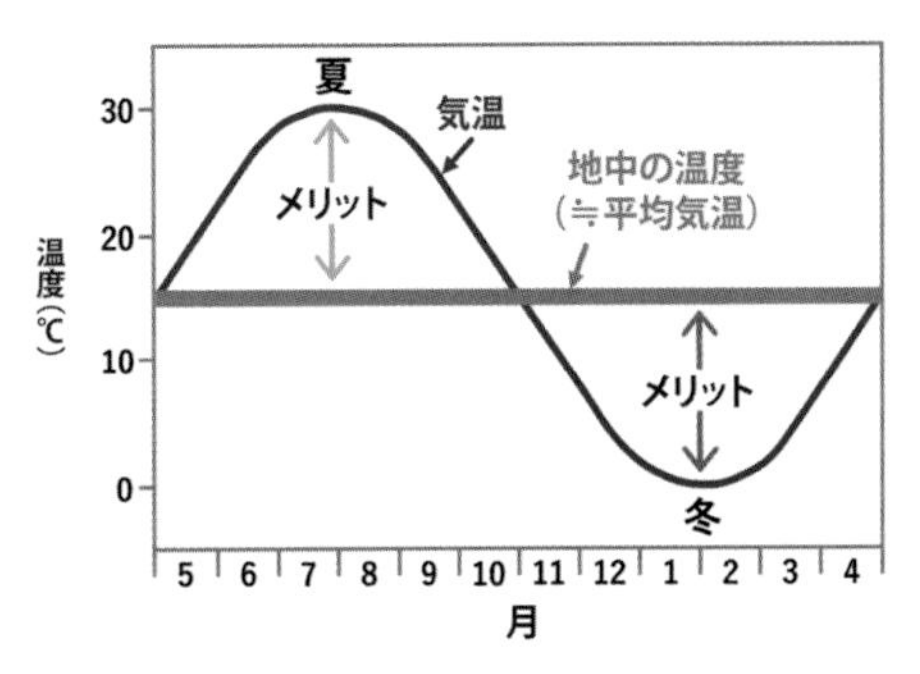

図 4-2　地下温度の季節変動

季節を問わず、深さ10m以下の地中では温度は一定である（上）。そのため、とくに夏と冬は気温との温度差がメリットとなる（下）

集めるわけですが、0℃の外気から集めるのと、15℃の地中から集めるのとでは、どちらがかかる負荷が大きいでしょうか。あるいは、夏に35℃の外気に熱を捨てるのと、15℃の地中に排熱するのとでは、どうですか。地中のほうが負荷はずっと少なくてすむことはおわかりいただけるでしょう」

内田さんはPCの画面を切り替えながら言った。

「つまり、エネルギー消費が少なくてすむんです。実例をご覧に入れましょう」

画面上に、【地中熱利用システムの省エネ・CO_2削減効果】と題された、いくつかの棒グラフが現れた（84ページの図4−3）。

「オレンジ色の棒グラフは、実際に地中熱利用システムを導入した北海道の住宅や、青森県・弘前市の公共施設、山口県の中学校で、灯油などを使った冷暖房に比べてどのくらい省エネになったかを示しています。その効果は一目瞭然ですね」

しかも、と内田さんは力を込めて続けた。

「緑の棒グラフは、二酸化炭素の排出量を比較しています。地中熱利用システムは、二酸化炭素を出す量も、従来の冷暖房よりうんと少なく抑えられます」

グラフに見入りながら、隊長とK田隊員は同じことを考えていた。いままでエネルギー問題といえば、いかに発電するかということばかり考えていたけど、使う電力を減らしても、結果は同じことだ。しかも、そのほうが二酸化炭素の排出量も減らせるなら、いま世界的に必要性が叫ばれている再生可能エネルギーとしても、もってこいだ。地中熱がそんなすぐれものだったなんて、知らなかった……。

●日本はとんでもなく「地中熱後進国」だった

K田隊員が内田さんに尋ねた。

――日本のほかにも、地中熱を利用している国はあるんですか？

すると内田さんは、笑いながら首を振って答えた。

「すでに欧米では、地中熱を使った冷暖房はかなり普及しています。北欧では3〜4軒に1軒は入っているといわれています。これは世界でどのくらい地中熱が利用されているかを示すグラフです（図4-4）。ご覧のとおり日本は、世界でもきわめて地中熱の利用が少ない国なんです」

――ええっ、そうなんですか！

「もともと欧米の住宅ではセントラルヒーティングが一般的で、ボイラーで沸かしたお湯を室内に設置したラジエーターに送って部屋を暖めていました。ところが1970年代のオイルショックを契機に、地中熱が研究されるようになったんです」

あのときは日本でも大騒ぎになったけど、地中熱なんて聞いたこともなかったな……と、オイ

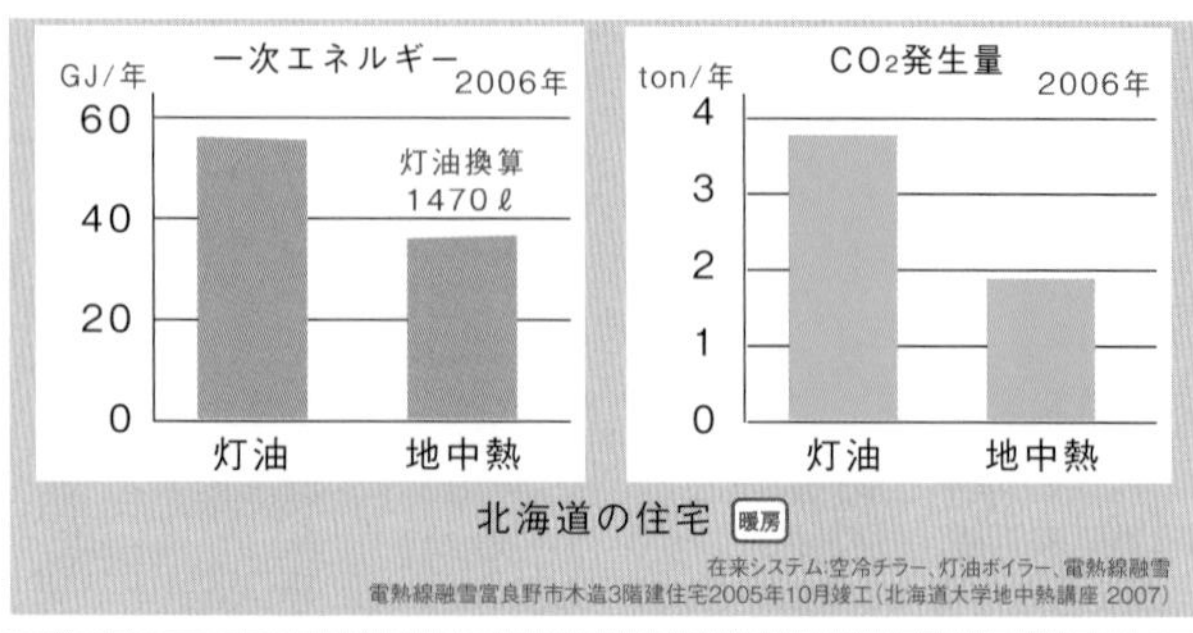

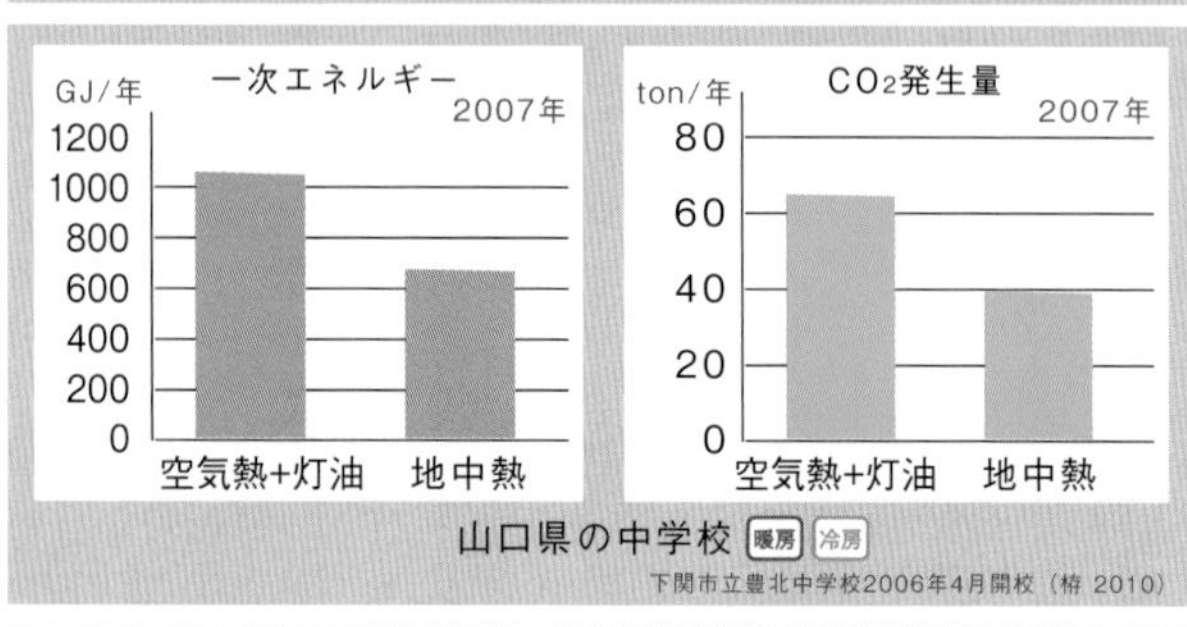

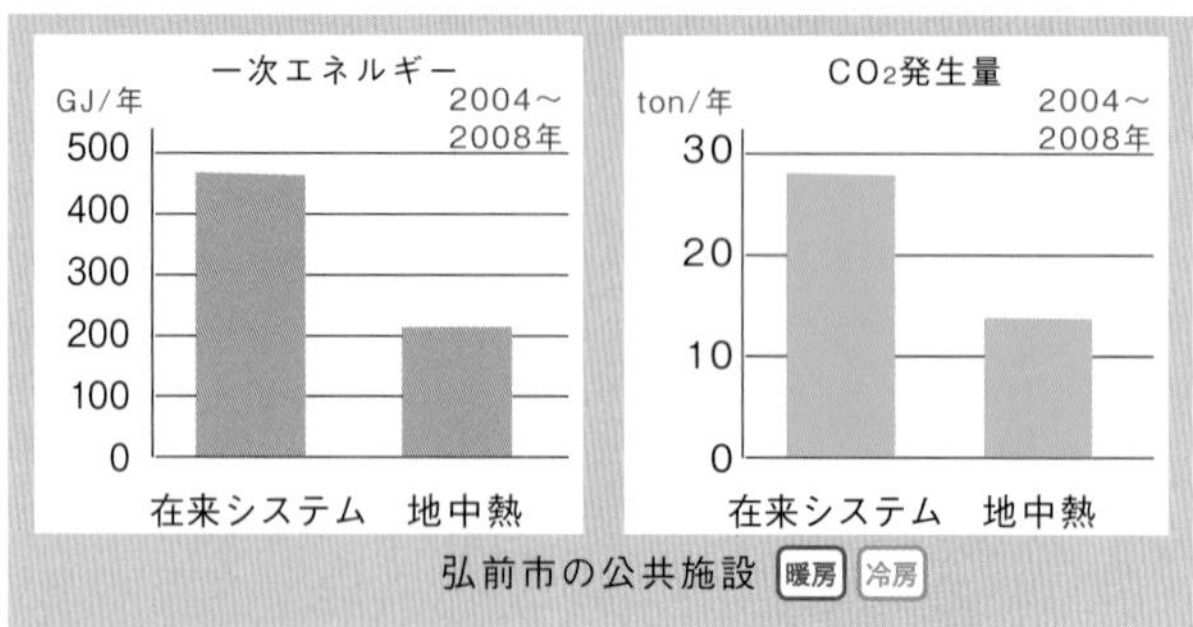

図 4-3 地中熱利用システムの省エネ・CO_2削減効果

実際に地中熱利用システムを導入した場所での省エネ効果(オレンジのグラフ)とCO_2削減効果(緑のグラフ)

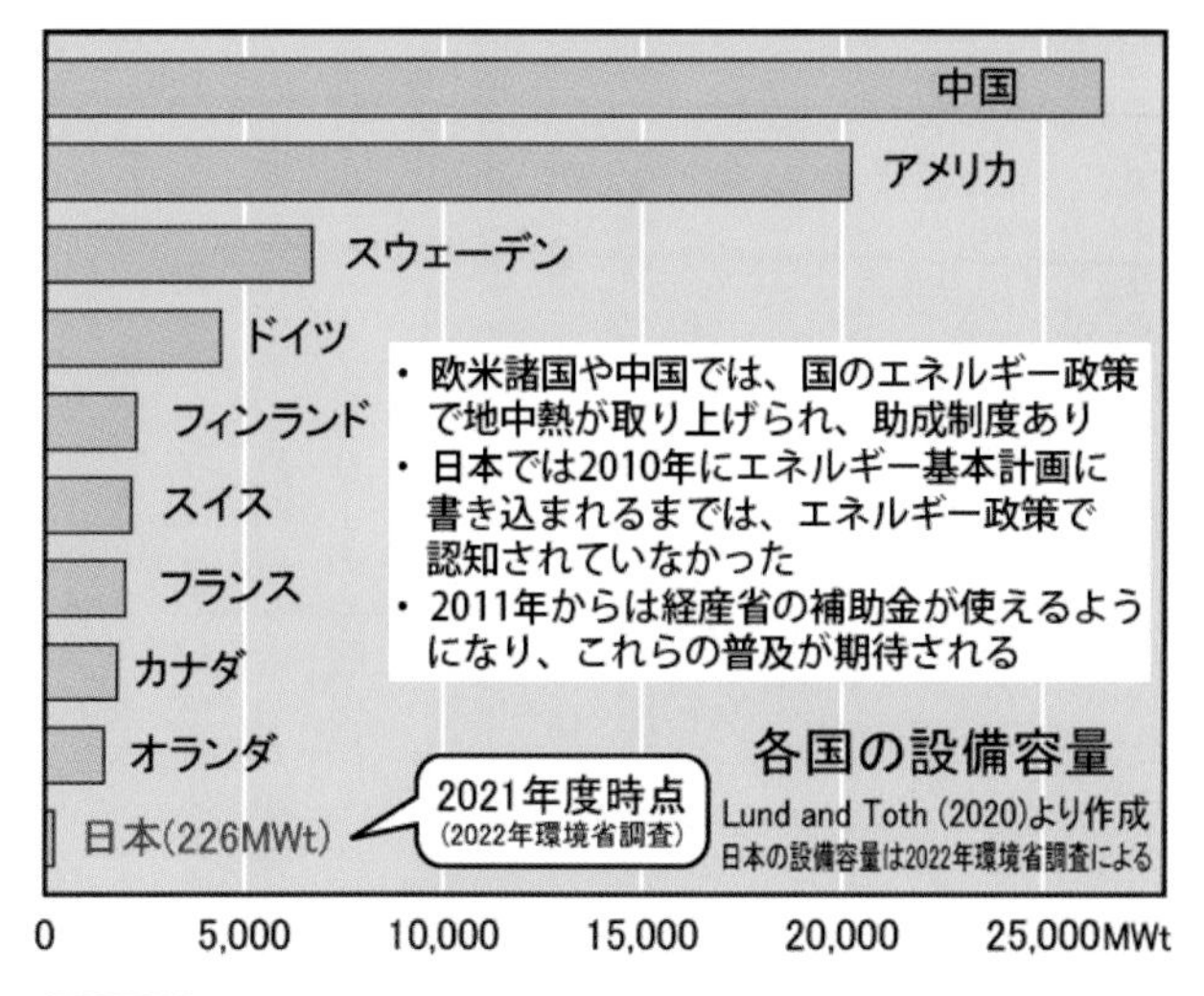

図 4-4　**世界の地中熱利用比較**

世界各国の地中熱利用システム設備容量を比べたもの。日本の地中熱利用はきわめて遅れているのがわかる

ルショック当時を知る隊長がつぶやく。

「なぜ、日本ではこんなに利用が少ないのか。一つには文化の違いがあります。多くの家庭でセントラルヒーティングが導入されていた欧米では、すでに各部屋にパイプが行き渡っていました。これが地中熱への移行をスムーズにしたのです。でも日本の住宅の場合は個別暖房が主流だったため、そうはいきませんでした」

内田さんが続ける。

「また、地中熱の利用は目立たないことも、普及を妨げていると思われます。なにしろ地中熱交換器は地中に埋まっていますし、室外機のほうもファンが回っているわけではないので、とても静かです。気づきにくいシステムなんですね。すでに導入されている施設で働いている人たちですら、そんなものが使われているなんて知らなかったりするんです。だから話題にものぼりません」

内田さんは、地中熱利用システムが導入されている施設の名前が並んだ資料を見せてくれた。なんと東京スカイツリーの冷暖房にも採用されているらしい。外食産業の「びっくりドンキー」も店舗に導入していて、2005年に「地中熱ヒートポンプによるレストランの省エネルギーの取り組みが「北海道省エネルギー・新エネルギー促進大賞」の省エネ部門奨励賞を受賞している。そのほか、「LIXIL住宅研究所 フィアスホームカンパニー」は、地中熱利用と太陽光発電で「光熱費ゼロ」をうたう戸建て住宅の販売を2011年に開始しているなど、早くから地中熱システムを導入している例はいくつかあるようだ。とはいえ、だから「地中熱が普及している」とは、まだまだ言いがたいだろう。

「普及が遅れているもう一つの大きな理由が、地質の違いです。日本では、人が多く住んでいる平野や盆地は、『第四紀層』と呼ばれる約260万年前以降の比較的新しい地質で最上部が覆われています。これは砂・礫（れき）・泥などで構成された軟弱な地質で、その下に、硬い岩盤の層があります。一方、欧米のような大陸の地質は、第四紀層が薄く、数メートル掘れば硬い岩盤に達します。日本は場所によっては1000m掘っても第四紀層の底に達しません」

――日本の地盤が軟らかいのは、穴を掘りやすくて好都合なんじゃないですか？

「逆です。軟弱な層を掘るほうが、硬い層を掘るより難しいんです。軟弱だと掘っていくうちに上のほうから崩れてしまうので、その対策が必要になるからです。また、深さによって地質が変わりやすいので、それに合わせてドリルの刃を交換したり、掘るスピードを調節したりしなくてはなりません。いわば職人技が必要になるんです。まあ、じつはそのおかげで、日本の掘削技術は世界一といわれるほど発達してもいるのですが」

苦笑しながら内田さんは続けた。

「地中熱交換器を埋設する場所としても、第四紀層は硬い岩盤層に比べて空隙が多いため、熱伝導がよくありません。熱伝導が悪いと、熱交換の効率を表面積で稼いで確保しなくてはなりませんから、地中熱交換器に使用するチューブが長くなります。それに、地質が不均一で複雑に変化しますから、どのくらいのサイズの熱交換器が必要か、詳細な地質調査も必要になるし……とにかく地盤が軟らかいと、手間とコストがかかるんです」

ということは、そもそも日本の地質は地中熱利用に向いていない……？

●日本の地下には「お宝」が眠っている

「最初はみんな、そう思っていました。ところが、じつはそうではなかったんです」

ここから、内田さんの話はさらにヒートアップしてきた。

「日本の第四紀層の地盤には、空隙が多いと言いましたね。その隙間には、地下水が流れていることが多い。それも大量に。隙間が水で満たされることで、どうなるかといえば、地盤の熱伝導率が大きくなるんです。さらに、地下水の流れは熱を輸送するので、熱伝導率はさらに大きくなる。だから、地下水が流れている地層の〝みかけの熱伝導率〟は、岩盤のそれを上回るほど大きくなります。つまり、日本の地質ならきわめて効率のよい地中熱利用が可能なんです」

――豊富な地下水をもつ日本はむしろ地中熱利用に適しているのに、そのことが知られてこなかったばかりに、普及が遅れているということですか？

「日本中どこでも適しているというわけではありませんが、地中熱を活用するメリットの大きい地域はたくさんあるでしょう。じつにもったいない話です。二酸化炭素を出さないカーボンニュートラルは、全世界の喫緊の課題です。それを推進するための絶好の〝お宝〟が足元に埋まっているのに、ろくに利用されていないんですから」

嘆かわしい、という表情をして内田さんは一呼吸置き、われわれの顔を見た。

「そこで、私たち産総研の地中熱チームの出番となるわけです。費用のかかる調査をしなくても、地中熱利用に適している場所かどうかを知ることができたら、導入へのハードルはかなり低くなるでしょう。私たちはそうした情報を提供するための手法を研究しているんです」

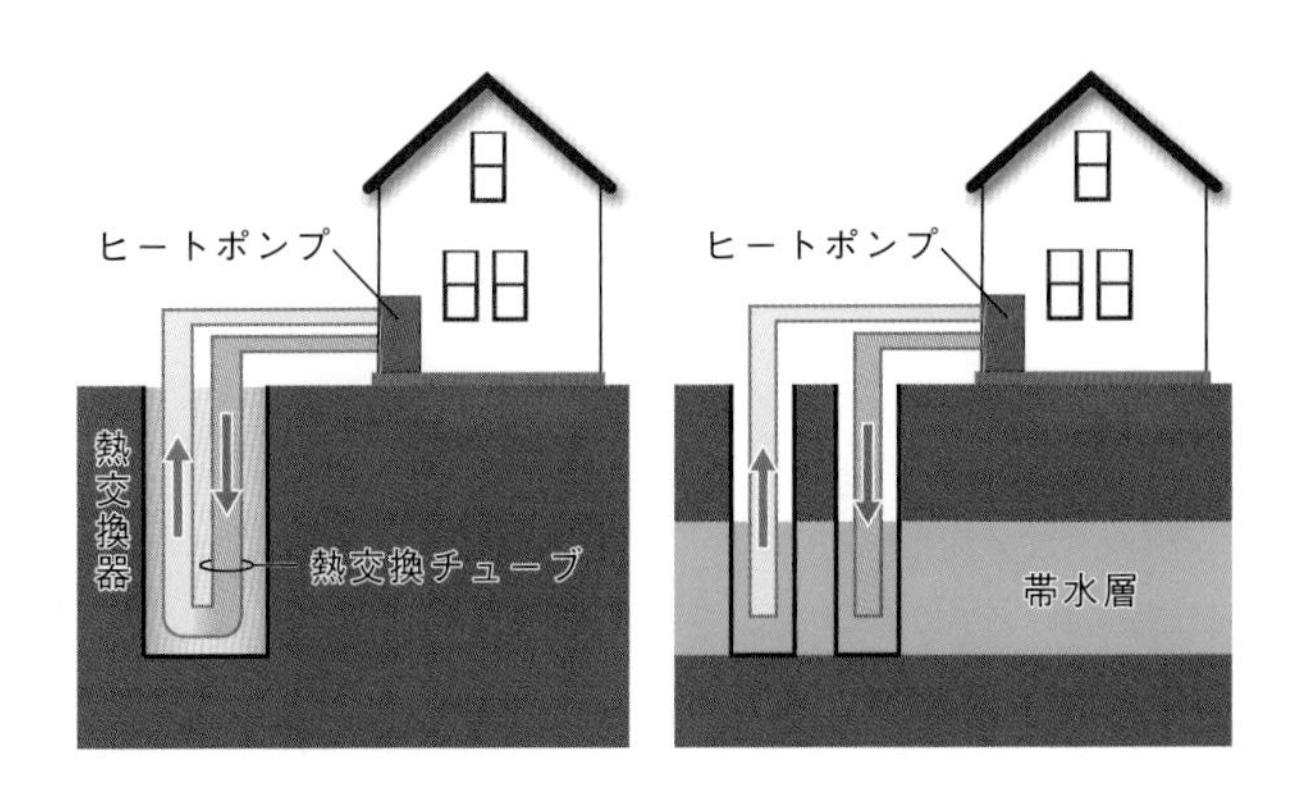

図 4-5　**2種類の地中熱ヒートポンプシステム**
左：クローズドループ　深さ50～100mの地下温度環境を利用
右：オープンループ　地下水をヒートポンプの熱源として利用

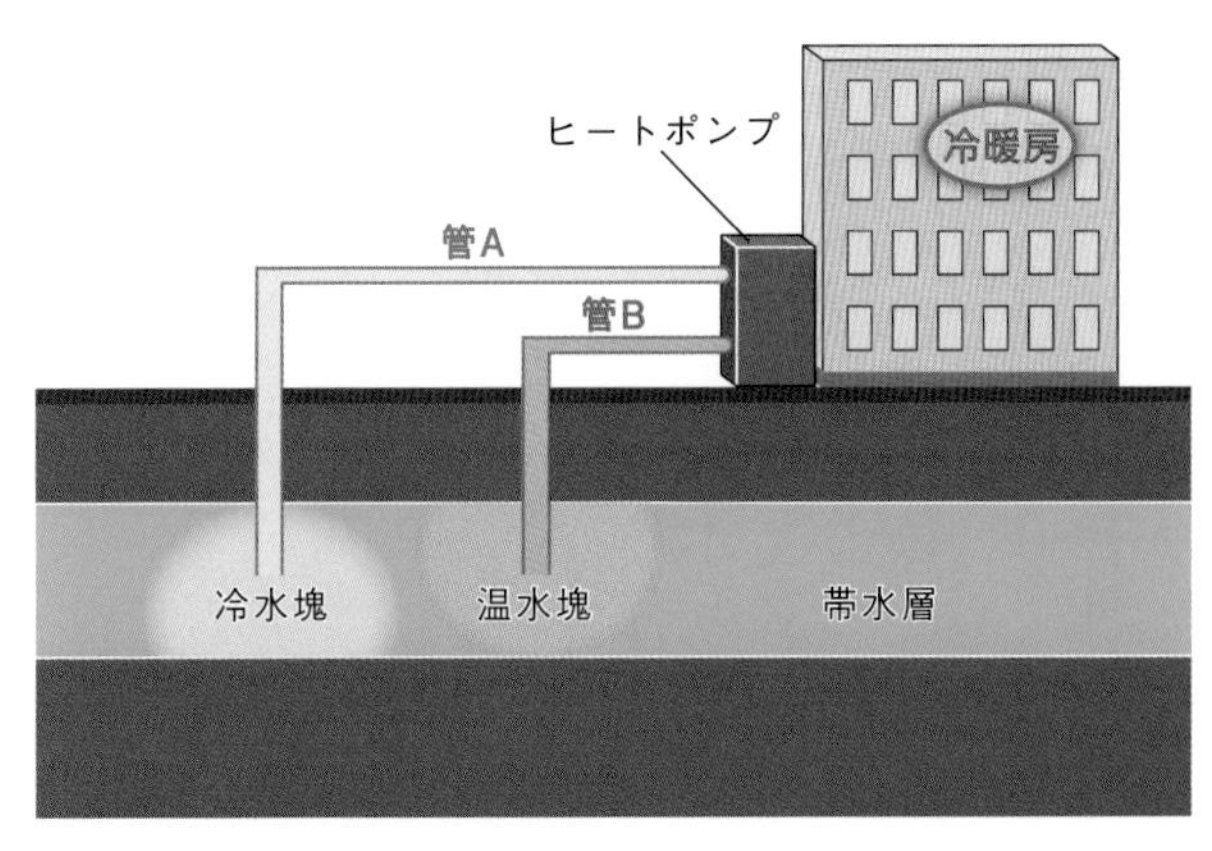

図 4-6　**ATESによる冷暖房システム**
夏は冷水塊から管Aで地下水を汲み上げ、管Bで戻す。冬は温水塊から管Bで地下水を汲み上げ、管Aで戻す

● 地中熱の利用のしかたは2種類ある

内田さんによれば、地中熱の利用のしかたは大きく2種類に分かれる（前ページの図4-5）。

一つが、熱交換器を地中に埋める方式で、これを「クローズドループ」という。地上と地中の熱交換器が閉じた管（クローズドループ）で結ばれ、その中を不凍液や水が循環して熱を輸送する。一般的なエアコンと同じ方式である。

もう一つは、地中熱交換器を埋めるのではなく、地下水を直接汲み上げる「オープンループ」と呼ばれる方式だ。地下水の熱を直接利用するシステムで、いっそう熱効率が高くなるうえに、初期費用も抑えられる。ただし、汲み上げた地下水は熱交換後、地中に戻したほうがよい。

また、オープンループには、地盤や地下水を「蓄熱体」として利用する方法もある。これを、「帯水層蓄熱」（Aquifer Thermal Energy Storage）、略して「ATES」と呼ぶ（前ページの図4-6）。これは、地中をいわば「熱の電池」として利用するイメージだ。

ATESでは、地下水がたまっている帯水層から水を汲み上げたり、戻したりする2本の管（管A、管Bとする）を、十分に距離をとって設置する。夏の冷房のときは管Aで地下水を汲み上げ、管Bで戻す。すると管B付近の地下水が周辺より温められて、熱が蓄積される。

冬の暖房のときは逆に、管Bで汲み上げ、管Aで戻す。管B付近は夏に温められているので採熱の効率がよく、管A付近は周辺より冷やされるので、次の夏に冷やすときに効率がよくなる、というわけだ。

頭いい！　と、内田さんの説明を聞いたK田が思わず口にした。

●高額な試験の前に役立つポテンシャルマップ

ここで内田さんが、PCの画面上に地図を示してみせた。

「では、私たち地中熱チームの研究成果である『地中熱ポテンシャルマップ』（図4－7）を見ていただきましょう」

それは、山形盆地（山形県）の地図になにやら色分けがされたものだった。一つには、「クローズドループ・ポテンシャルマップ」とあり、もう一つには「オープンループ／ATES適地マップ」とある。

「クローズドループ・ポテンシャルマップ」とは、一般的な住宅が冷暖房にクローズドループ方式で地中熱を利用する場合、その場所ではどのくらいの長さの熱交換器が必要かを示した地図だ（図4－7上）。熱交換器の長さは、その土地の地質の「みかけの熱伝導率」によって計算される。

「地質の『みかけの熱伝導率』を調べるには、実際に掘削して、熱交換器となるチューブを穴に

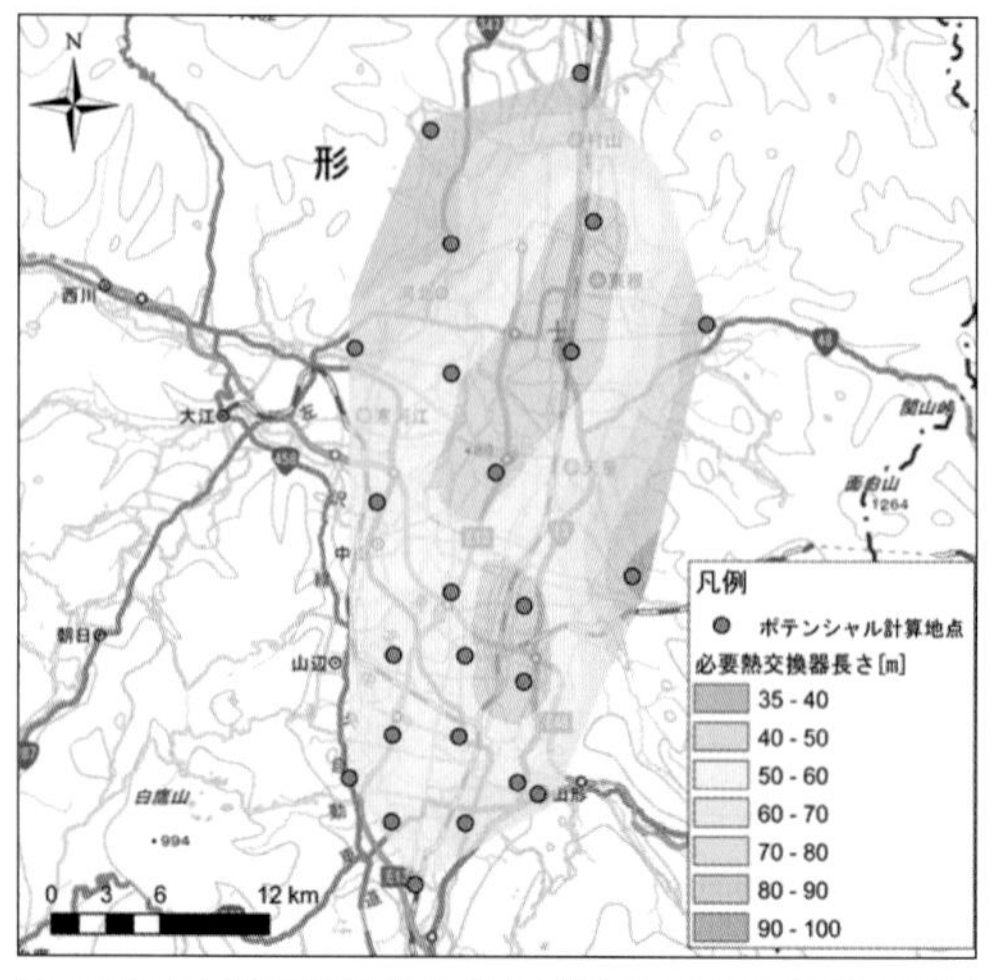

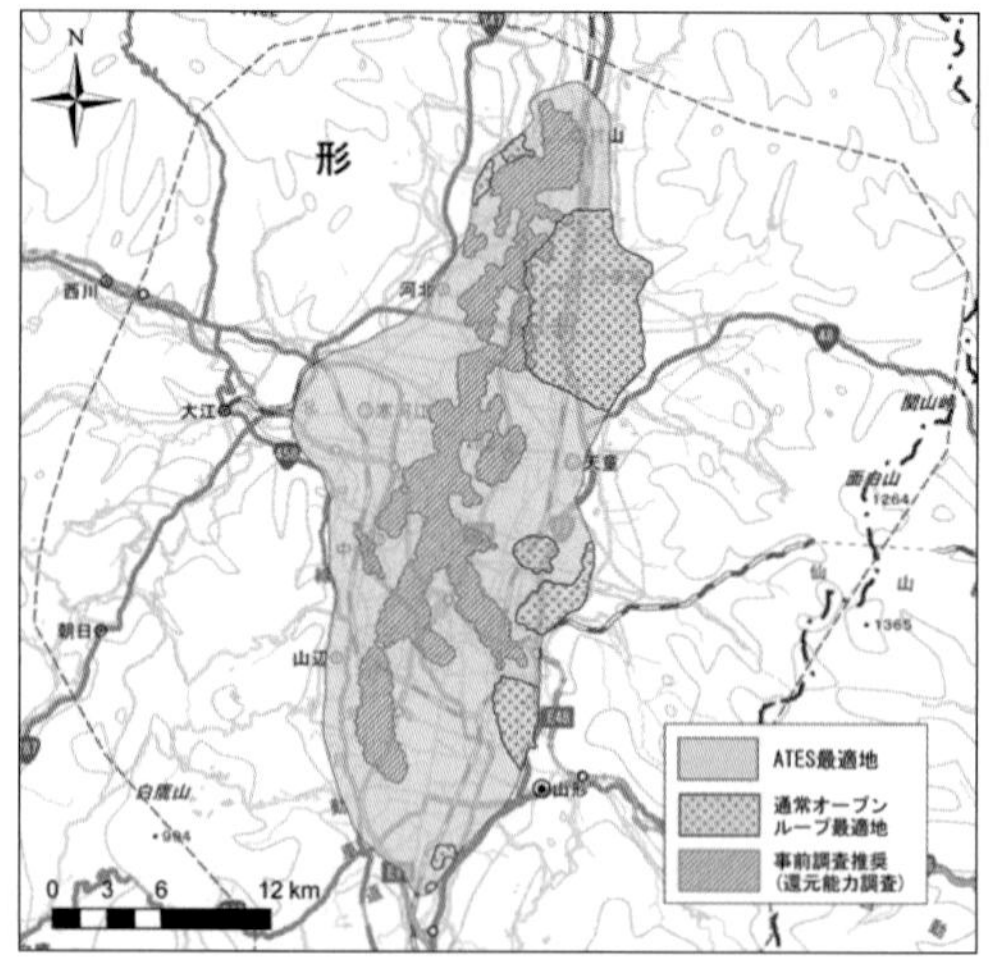

図 4-7 地中熱ポテンシャルマップ

上：山形盆地のクローズドループ・ポテンシャルマップ
下：オープンループ／ATES適地マップ
（国土地理院発行の電子地形図を使用して作成。承認番号 令元情使第262号）

挿入し、チューブの中の循環水を加熱しながら測定する熱応答試験をおこなう必要があるのですが、この試験には300万から400万円もかかります。それでも試験の結果、ヒートポンプには向かない土地だった、となる場合もあります。しかも、掘削した穴や挿入したチューブの原状復帰はまず無理です。これでは『地中熱を導入しましょう』と持ちかけられても、二の足を踏んでしまいますよね」

たしかに、そんな条件ではとても手が出ない……。

「そこで、このポテンシャルマップです。これを見れば、その場所で必要な熱交換器のだいたいの長さがわかるんです。40mとか50mくらいの短さですむなら、クローズドループに適した場所といえます」

それなら安心だ。適しているかどうかがわかるだけでなく、熱交換器の長さまでわかるなら、高額な熱応答試験もしなくてすむ。

「いえ、このマップではおおよその長さしかわからないので、実際にクローズドループを導入するとなったら、やはり熱応答試験は必要です。ただ、もっと簡単で安価にできる方法を民間企業が考案してくれましたので、共同で実証実験をおこないました」

——どんな方法ですか。

「建物を建てるときは、地盤の硬さを調べる地質調査が義務づけられています。通常の熱応答試験では、直径30㎝ほどの穴を掘る必要があるのに対し、この方法では、直径66㎜の穴に細いパイプを50ｍくらい打ち込めば熱応答試験ができるんです。これなら70万円ほどですむし、パイプを抜くだけで原状復帰できます。私たちのチームの拠点である福島県の地中熱業者さんの話では、高額な熱応答試験のせいでまとまらなかった商談が、ポテンシャルマップとこの試験のおかげで先に進むようになったそうです」

もう一つのポテンシャルマップには、オープンループに適している地域と、ＡＴＥＳに適している地域が示されている（図４－７下）。

「オープンループ方式が使えるためには、豊富な地下水があって、それを汲み上げられること、そして汲み上げた地下水を地中に還元できることが条件になります。還元するのは、貴重な水資源である地下水を保全するためです。場所によっては、いくら加圧して水を送り込んでも地中に還っていかないこともあって、そういうところはオープンループ方式には不向きです」

内田さんが続ける。

「また、ＡＴＥＳの場合は、夏に排熱して帯水層にできた温水の塊が、ちゃんと冬までとどまっていることが条件となります。どこかへ散逸してしまうようではダメです」

――地下水って、温められたら温かいまま、半年間も同じ場所にとどまるんですか？

「そういう地域は珍しくありません。一般的に、地下水の流れは非常に遅く、一日に数センチくらいしか流れないのが普通です」

●地下水は埼玉から東京湾まで1万年かけて進む

――さっきのお話のように温度の変化もそうだし、地下水ってものすごく時間の進みかたがゆっくりしているんですね。

「そもそも私がこの研究に携わるようになったのは、大学時代に水文地質学という講義で魅力的な先生と出会ったことがきっかけでした。以来、地下水がどう流れているのか、地下の温度はどのように分布しているかなどを各地で調査してきました。日本最大の平野である関東平野の地下水を調べたときは、群馬や栃木の山地で涵養された地下水が、最終的に東京湾にそそぐまでの中間地点にあたるさいたま市（埼玉県）で、深さ700mの地下水の年代測定をしました」

内田さんの話しぶりがまた熱を帯びてきた。

「すると、その地下水は雨水が地面に沁み込んでからおよそ1万年経過した水であることがわかりました。次に、東京湾の近辺で地下水の年代測定をしたら、ちょうど倍の2万年くらいの水でした。つまり、地下水は埼玉から東京まで1万年もの時間をかけて、ゆっくりと関東平野を横切っていくわけです」

隊長とK田は不思議な気持ちになった。現代人が日々、忙しく活動している足元の地下深くでは、縄文時代に降った雨水が、気が遠くなるほどゆっくりと海に向かって流れている……地中の見えない世界を透視するような、ロマンを感じる研究だ。

●地中熱で新品種のバナナが育った！

ここで内田さんが突然、バッグからバナナを取り出して、「どうぞ」とわれわれに差し出した。ちょっと疲れてきたのでありがたいが、なぜバナナ？

「いま福島県の広野町で、日本で開発された新しい品種のバナナが栽培されはじめています」

内田さんによれば、それは岡山県の田中節三氏が独自の技術で開発したバナナで、耐寒性があり、害虫がつかないので農薬も不要、皮ごと食べられて糖度が高く、味わいはクリーミーな高級バナナだという。「朝陽に輝く水平線がとても綺麗なみかんの丘のある町のバナナ」（愛称：綺麗）と名づけられ、広野町では新しい特産品にするべく、広野町振興公社が2019年から売り出しているそうだ（図4-8）。

「しかし耐寒性があるとはいえ、ハウスの温度を15℃以上にキープしないと枯れてしまうんです。燃料費が上がっているいま、冬場のバナナは〝灯油をかじってるみたいなもの〟といわれていて時代に合わない。なんとか地球にやさしいバナナに変えられないかと、公社の社長さんから相談がありました。そこで、地中熱をバナナ栽培に利用するための実証実験をしました。地中熱が初めて農業分野へ参入したわけです」

実験では1つのハウスを2つに分け、一方は従来の灯油燃料による暖房、もう一方は灯油燃料と地中熱を半分ずつ使うハイブリッドな暖房にして比較した。ハイブリッドにした理由は、万が一、地中熱がうまく機能しなくてもバナナを枯らさないためだ。

図 4-8　**福島産バナナ**

福島県広野町で栽培されている「朝陽に輝く水平線がとても綺麗なみかんの丘のある町のバナナ」(広野町振興公社HPより)

その2023年の最新結果では、ハイブリッドは灯油燃料による暖房と比較して、灯油使用量は85%削減、二酸化炭素の排出量は47%削減された。もしハイブリッドではなく、すべて地中熱にすればランニングコストはほとんどかからず、二酸化炭素の排出量もゼロに近くなるはずで、現在、「化石燃料ゼロハウス」をめざして研究を続けている。という。福島の土の熱でバナナが育てば、まさに「福島産バナナ」の名にふさわしい。

そして日本の「地中熱」はいま、海外にも進出しはじめているという。

「じつは東南アジアには、日本とよく似た地質のところが多いんです。以前にバンコクを調査したとき、ここなら地中熱を利用した冷房が使えるだろうという感触をもっていました。実際、バンコクのチュラロンコン大学の一室に地中熱利用システムを導入してみたところ、通常のエアコンより35%も消費電力をカットできたんです。いまでは地中熱が、国際協力機構（JICA）の事業やアジア開発銀行のイノベーション実証試験プロジェクトに採用されて、タイやベトナムでも地中熱の研究開発が始まっています」

地下水を巧みに利用する〝日の丸地中熱〟が、アジアのエネルギー問題解決に貢献しているとしたら、日本人として少し誇らしい気がする。

「地味だけどすごい可能性が、地中熱には秘められていることが、おわかりいただけたでしょうか?」

地中熱にひたむきな情熱を傾ける研究者の顔で説明を続けてくれていた内田さんが、最後に営業マンの顔になった。

「みなさんも、新居を建てるさいにはぜひ、地中熱の導入をご検討ください。初期費用がかかるようでも、長いライフサイクルで考えたら太陽光パネルなどと比べて決して高くはないですよ。ではそろそろ、次の訪問先がありますので失礼します」

探検時のPROFILE

内田 洋平
うちだ・ようへい

福島再生可能エネルギー研究センター
地中熱チーム　研究チーム長

一般的なエアコンや融雪システムよりも高効率、省エネルギーである地中熱利用システムの普及促進に向けた研究をしています。地中熱利用システムは、もともと世界オイルショックを契機として1980年代から欧米諸国で広まりました。技術的には新しいものではないものの、日本においては2000年頃までほとんど知られていなかったことや、大都市における地下水の汲み上げ規制などの理由により、その普及が遅れています。
日本における地中熱利用を進めるには、地下水の存在が熱交換量に大きく影響するため、地下水の水位や流量の把握が重要です。まずは地中熱ポテンシャルマップの作成や、地域の地質や地下水流動の特性に適応した地中熱利用システムの開発をめざしています。

第5章

接着剤の謎が見えてきた

世界初「どう剝がれるか」を撮影！

「飛行機はなぜ飛ぶのか」は、じつは、いまだにちゃんとわかっていないという。にもかかわらず、私たちがふだん平気で乗っているのは、考えてみたら恐ろしいことなのかもしれない。しかし、科学技術の世界では、そんな「結果オーライ」が意外とまかり通っているようだ。

驚くべきことに「接着剤で物と物がくっつく理由」も、こんなに科学が発展した現在でも謎なのだという。そこで、接着のメカニズム解明のために立ち上がった研究者がいた。苦心の末になしとげた、その世界初の成果とは？　身近なようで知らなかった「接着の世界」を探検した。

● いまだにわかっていない「なぜくっつくのか」

じつは、人類は昔から、物と物が「くっつく」現象について、考えに考え抜いてきたようだ。たとえば全3巻の大著『磁力と重力の発見』（山本義隆／みすず書房）を読むと、古代ギリシャ以来、磁石が鉄とくっつくことがいかに大きな謎だったのかがよくわかる。

正確には「くっつく」ではなく、離れた物体を磁石が謎の遠隔作用によって「動かす」現象というべきかもしれないが、ともかくそのしくみは長いあいだわからなかった。

16世紀末に地球が磁石であることを発見したウィリアム・ギルバートさえ、「磁力は霊魂を有する、もしくは霊魂に似ている」と、古代ギリシャの哲学者タレスが唱えた霊魂論とあまり変わらないことを語っていたそうだ。もっとも、現在でも大半の人々は、接着剤もなしに磁石が冷蔵庫のドアにくっつくのを不思議と思うだろう。

だが、それではまだまだ不思議センサーの感度は低い。磁石がくっつくのが不思議なのと同様に、接着剤が物と物をくっつけるのは当たり前ではないのだ。どうやら「接着」という現象の根本的なしくみは、まだ完全には解明されていないらしい。さすがに接着剤霊魂説を唱える研究者はいないと思うが、もしいたとしても、完全に論破することはできないかもしれないのだ。21世紀に入って20年以上が過ぎたいまも、科学のフロンティアは広くて深いのだった。

そんな接着のしくみを調べている研究グループが、世界で初めて「接着剤が引き剝がされるプロセスの電子顕微鏡によるリアルタイム観察」に成功したという。……くっつくしくみを知りたいのに、剝がしてどうするんですか？

二重に驚いた探検隊は、世界初の観察に成功した産総研に急行し、ナノ材料研究部門接着界面グループの上級主任研究員、堀内伸さんに話を聞いた。

堀内さんたちのラボが創設されたのは、２０１５年のことだった。その背景には「ここ10年ぐらいで接着剤に対する社会の期待が変わってきた」（堀内さん）という事情があったという。接着剤への期待といわれても、いまはコンビニに行けば強力な瞬間接着剤が手に入る時代だ。日常生活ではもう十分に満足できている気もするのでちょっとピンとこないが、これはそういうレベルの問題ではない。

自動車、飛行機、建築物などの大きな物をくっつけることを「構造接着」と呼ぶそうだ。それも含めて、産業界には単に「とりあえずくっつけばいい」では済まない課題が山ほどある。堀内さんたちがラボの設立時に開催したシンポジウムには、各種の企業で研究開発に携わる人々がわれもわれもと集まり、300人収容の講堂に立ち見が出るほどの超満員になったそうだ。

「もっとも大きなニーズがあるのは、自動車業界です。CO_2削減のためにガソリン車から電気自動車に置き換わる流れのなかで、車体を軽量化するために、鉄以外の軽い素材を使おうとしています。いろいろな材料を適材適所に使いつつ、軽さと剛性を両立させるマルチマテリアル構造をめざしているわけです。

「接着の謎」を追いつづける堀内伸さん

しかし、鉄と違って、アルミや樹脂などの材料は、溶接では組み立てることができません。現実的な接合の方法は、接着剤を使うことです。とはいえ、自動車となると人の命がかかってくるので、プラモデルに使うような接着剤では話にならない。市販されている瞬間接着剤などは、日常レベルでは強力ですが、水にとても弱く、単なる仮留めみたいなものですからね」

いやはや驚いた。「絶対に指につけてはならぬ！　ああそうだ絶対にだ！」と決死の覚悟で使うあの瞬間接着剤も、産業レベルでは「仮留め」程度の弱さなのだという。

●ほぼ接着剤だけで自動車を組み立てたBMW

自動車分野で強力な接着剤の開発が進んでいるのは、ドイツをはじめとする欧州だ。とくにBMW社が製造した「i3」という車は、この分野の研究者や技術者に強い衝撃を与えた。車体を丸ごとCFRP（炭素繊維強化プラスチック）でつくり、接合にはほぼウレタン系接着剤が使われたからだ。

「耐久性より軽量化が優先されるF1マシンなどは以前からCFRPを使っていましたが、市販車にそれを使って接着剤で組み立てるのは、じつに果敢といえました。それまでも自動車やエレクトロニクスなどさまざまな分野で、『もっと強力な接着剤がほしい』と考えている企業は多かったのですが、ドイツの研究開発が引き金となって、一気にニーズが本格化しました」

そこで自然と求められたのが、剝がれてしまう理由、さらには接着するメカニズムの解明だった。

「そもそも、『接着剤がなぜくっつくのか』がわかっていないので、みんな根本的なところから

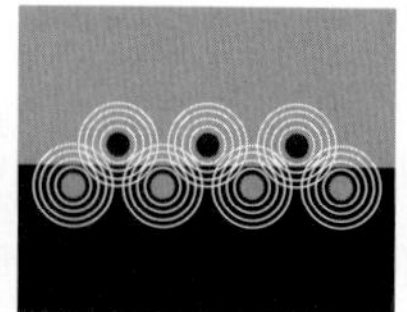
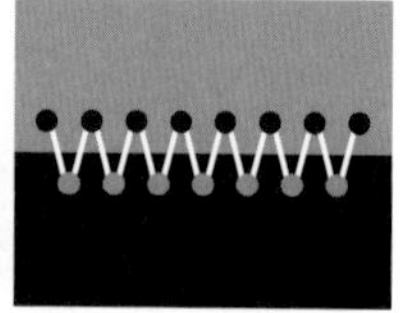

図5-1 接着剤がくっつく3つのメカニズム
左：表面の凹凸がからみ合ってくっつくアンカー効果
中：静電気のプラスとマイナスがくっつく分子間力
右：共有結合や水素結合によってくっつく化学結合。これが一般的なモデルだと信じられてきた

知りたがっているんです」

考えられる3つのモデル

接着剤がくっつく基本的なメカニズムについては、昔から3つのモデルが考えられてきたという（図5－1）。アンカー効果、分子間力、化学結合だ（やはり霊魂説はない）。

アンカー効果は、いわば「機械的」な接着。くっつけたいものの表面がザラザラしていると、その凹凸に接着剤が入って固まり、相互にからみ合うようにしてくっつく。

分子間力は、静電気のプラスとマイナスがくっつくような静電的相互作用だ。

そして化学結合は、基材表面の物質と接着剤の物質が、共有結合や水素結合などによってくっつくとされている。

「しかし、たとえば瞬間接着剤がこの3つのどの作用でくっついているのかも、まだはっきりわかっていないんです。いわば結果オーライでくっついているだけで、原理はわからない。物をつくるうえで一番安心できるのは化学結合ですが、それが起きていることをまだ誰も証明していません。それなのに、化学結合でくっついていると、あたかも常識のように語られている。そのことが、私には納得いきません。まったくの嘘かもしれないのに……。その実態を明らかにするのも、私たちのテーマの一つです」

これだけ科学技術が進歩しているのに、まだそんなこともわかっていないのか……と、つい素人は思ってしまうわけだが、堀内さんによれば、接着界面がどうなっているのかを見極めるのはきわめて難しいことらしい。なにしろ接着剤でくっついているのだから、そこで何が起きているのかを観察するのはたしかに大変だろう。どうすればいいのか、見当もつかない。私だったらすぐに諦めて、「まあ、くっついてるんだから、もうそれでいいじゃないの」と放り出してしまうだろう。

●「界面剝離」か、「凝集破壊」か、それが問題だ

「接着の原理を解明するには、まず壊れかたを知ることが大事です。たとえばアルミとアルミを接着したものを引き剝がしていって、破壊したときにかかっていた力の強度を測定します。そのとき重要なのは、どこで壊れたか、です」

そうか。だから「いかにくっつけるか」だけでなく「いかに剝がれるか」を見なければいけな

いのである。そして、くっついていたものの剝がれかたには、大まかに2つのパターンがあるという。「界面剝離」と「凝集破壊」だ。

仮に、接着剤でアルミをくっつけたとすると、壊れたときアルミ側に接着剤が残っていなければ、アルミと接着剤の界面で剝がれたことになる。これが、界面剝離。この場合は、接着剤自体が弱いと考えられる。一方、アルミ側に接着剤が残っていれば、固まっていた接着剤自体が壊れたことになる。こちらが凝集破壊だ。

「凝集破壊のほうが、界面の接着力は強いということになりますよね。その場合は、接着剤自体がもっと壊れにくくなるように改良すれば、もっと接着が強くなります。

でも、実際に剝がして見てみると、単純に界面剝離か凝集破壊のどちらかが起きているわけではありません。両方が起きていることもあるし、剝がしかたによって結果が違うこともある。接着界面の壊れかたは複雑なんです。その実態を詳しく知るために求められていたのが、剝がれるプロセスをリアルタイムで観察することでした」

しかし、光学顕微鏡や走査型電子顕微鏡（ＳＥＭ）では、その観察はできなかった。そこまでの微細な変形を見るのは難しいのだ。そこで使われたのが、より精密に観察できる透過型電子顕微鏡（ＴＥＭ）だ（図5-2）。

図 5-2　透過型電子顕微鏡（TEM）
小さいものを見ようとするほど、顕微鏡は大きくなる

なぜTEMなのか

TEMのしくみについて、少し説明しておこう。われわれはものを見るとき、見たいものに光がぶつかったときの跳ね返り具合を見ている。肉眼では、見たいものにぶつかった可視光がこちらに跳ね返ってくるのを見ているのであり、光学顕微鏡では、こちらから光をぶつけて、何がどんなふうに跳ね返ってくるかを見ている。

見たいもののサイズが光の波長よりも小さいと、光の波はぶつからず飛び越えてしまうので、跳ね返ってくるものを見ることができない。だが光の波長は可視光で0・4～0・8㎛（マイクロメートル：1㎛は1㎜の1000分の1）ほどなので、1㎛程度のもの、たとえば生物の細胞なら、光学顕微鏡で十分に見ることができる。

しかし、人間はだんだん、それより小さいものも見たくなってきた。たとえば原子。その直径は、0・1nm（ナノメートル：1nmは1㎛の1000分の1）。こんな小さいものに光をぶつけることは不可能だ。でも見たい。そんな要望に応えて登場したのが、光の代わりに電子をぶつける電子顕微鏡だ。電子の波長は0・1～0・01nmのオーダーであり、これなら原子にもぶつかってくれる。われわれが理科の教科書で「物質の最小単位」とされている原子（本当は違うのだが）の「写真」を、息を呑みながら見ることができるのも、電子顕微鏡のおかげである。

しかし、人間の欲は底知れない。小さいものが見えるようになったら、今度は、その中がどうなっているかも、ちょっと見たくなってきた。そんな要望にもお応えして開発されたのが、透過型電子顕微鏡TEMである。その原理は、これまでの電子顕微鏡とは少し違う。電子をぶつけて跳ね返りを見るのではなく、電子をぶつけて見たいものの中を透過させる、つまり通り抜けさせる。そのときの様子は、電子が何を透過するかによって違うので、その違いを見て、内部の構造を知るのだ。これまでの電子顕微鏡（SEM）を「走査型」というのに対し、TEMを「透過型」というのはそういう意味だ。いま、TEMは物理学、生物学、医学、工学などあらゆる分野で、小さなものの構造を見たい人たちの要望に応えている。

なお、ＴＥＭは電子を高出力で打ち出す必要があるため、装置は巨大になる。産総研にあるものも、見上げるような大きさだ。これで小さいものを見ようとしているのはなんだか滑稽にも思えるが、堀内さんが見たいものを見るには、これに頼るしかないのだ。よく見ると、ＴＥＭに神社のお守りが吊るされていた。

●まるで伝統工芸の職人技

ただし、ＴＥＭによる観察には一つ、大きなハードルがある。見たいもの、この場合はアルミと接着剤が接合した界面部分を、電子が透過できるように薄くスライスする必要があるのだ。その薄さ、なんと約１００nm（１㎜の１万分の１）！　吹けば飛ぶような、どころの話ではない。そんな極薄に切り出すのも大変だが、切り出した試料をホルダーに装填してしっかりと支え、力をかけて破壊し、その様子を観察しなくてはならないのだ。

考えただけで気が遠くなるような作業を補助する特殊な装置は、あるにはある。

たとえば、図５-３は、試料を切り出すための装置。青い部分にはもっとも硬い鉱物であるダイヤモンドでできた刃が仕込まれていて（50万円ほどもするのだとか）、この工夫のおかげで試料が薄く切り出せるようになり、ＴＥＭによる観察が普及したらしい。なお、切り出した試料は

図 5-3 試料を切り出す装置

青い部分にはダイヤモンド(値段にして約50万円！)が仕込まれていて、硬い金属も薄くスライスする

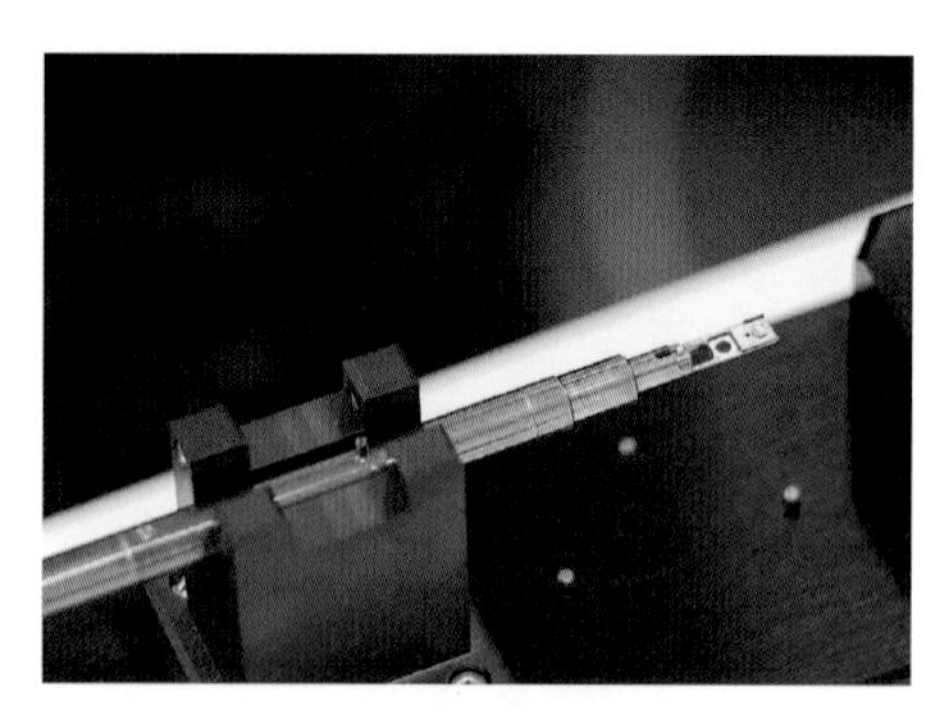

図 5-4 試料を破壊する装置

先端にセットされた試料が、後ろから圧縮されると左右に引き裂かれる

空気に触れるとすぐに飛んでいってしまうので、ホルダーに装填する作業は試料を水面に浮かべて行われる。

また、図5－4は、試料を装填した木製のホルダーを固定して、破壊する装置。試料はホルダーの先端にセットされている。この装置に力を加えていくと、ホルダーは試料と反対側から引き裂かれていき、最後に試料が左右に引き裂かれる、というしくみになっている。

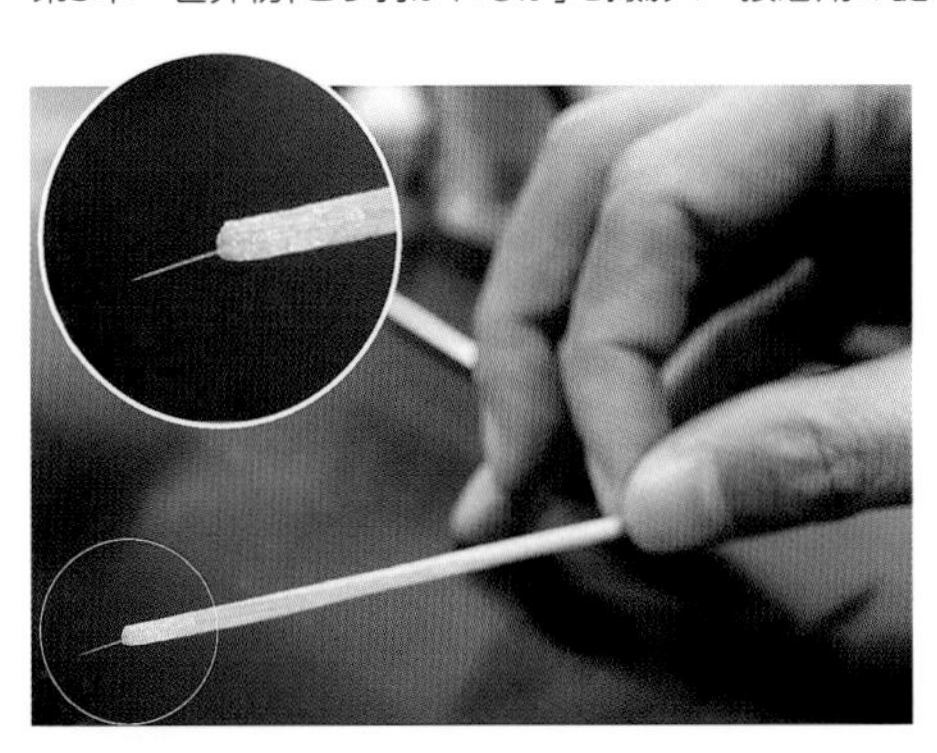

図 5-5　**試料をホルダーにのせる道具**
竹串の先に歯ブラシの毛を1本だけ取りつけた堀内さんお手製の道具。左上はブラシ先端（白い丸囲みの部分）の拡大

しかし、これらの装置を使えば誰でもできるという作業ではないことは明らかだ。

「私は高分子材料を研究していて若い頃から電子顕微鏡を使う細かい作業が好きだったのでスキルはありましたが、それでも、ひらひら動き回る試料をホルダーにきちんとのせるのは大変でした。竹串の先に歯ブラシの毛を1本だけ取りつけた道具をこしらえたりして（図5－5）、何度も試行錯誤しました。」

じつは、接着のメカニズムについての研究が世界的に進んでいないのは、こうした作業の難しさが障壁になっているからでもあるんです」

淡々と語る堀内さんだが、彼が試料をスライスして、ホルダーに装填するまでの作業を撮影した動画を見せていただいて、その大変さがよくわかった。

極薄に切り出されて、水面上に浮かんでいる切片の数々をホルダーまで導いていき、所定の場所にのせるのだが、切片はやはり、なかなか思うようには動いてくれない。それを堀内さんがお手製の道具を使って、極細の毛先一本で巧みに導いていくさまは、見ていて思わず、手に汗を握った。科学技術研究の一コマというより、何かの伝統工芸の職人の仕事を見ているような気がしてくるほどだった。

この章の最後に、動画のURLとスクリーンショットを掲げておくので、ぜひ読者のみなさんにもご覧いただきたい。

●ついに撮影された「剝がれるプロセス」

2021年11月、産総研は、接着剤によってくっつけられたものどうしが剝がれるプロセスを、リアルタイムで撮影することに成功したと発表した。実験にはアルミニウムの試料が使われた。TEMによる精密な観察と、試料を操る堀内さんの職人技、どちらを欠いても成しえなかった、世界初の快挙だった。

それで、結果は界面剝離だったのか、凝集破壊だったのか？

気の早い探検隊員は、まずそれが気になってしまう。おさらいしておくと、界面剝離なら壊れたときにアルミ側に接着剤は残っていない。接着力が弱いため、アルミと接着剤の界面で剝がれたと考えられる。凝集破壊なら、アルミ側に接着剤が残っている。接着力は強いが、固まった接着剤自体が壊れたと考えられる（図5－6）。

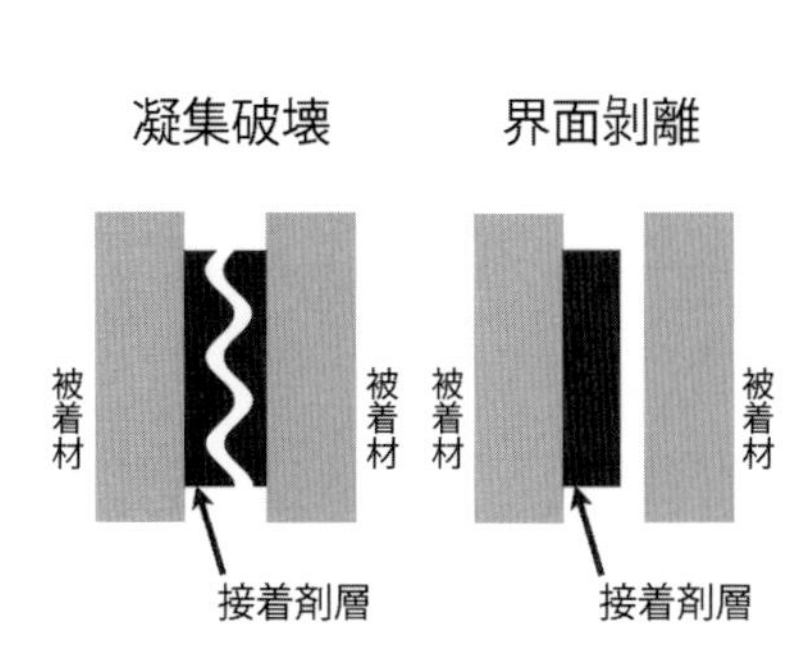

図 5-6 **界面剝離と凝集破壊**
右：界面剝離は接着剤が界面から剝がれる
左：凝集破壊は固まった接着剤が壊れる

――で、どっちだったのですか？

「界面剝離を起こしていた部分はありました。しかし、破壊の起点は接着剤の部分の深いところだったので、そこは凝集破壊です。最終的に接着剤はアルミに残っていたので、その点も凝集破壊といえます。したがって、単純には界面剝離とも凝集破壊ともいうことはできません」

堀内さんから返ってきたのは、意気込む隊員のひじがが思わずカクン、となるような、なんとも曖昧な答えだった。でも、科学が進歩する現場というのは、えてしてそんなものなのだろう。誰の目にも明らかな実験

1 亀裂が広がりはじめているが、右の拡大写真をよく見ると、亀裂が進む手前の接着剤に小さなひずみ(a)が生じている。

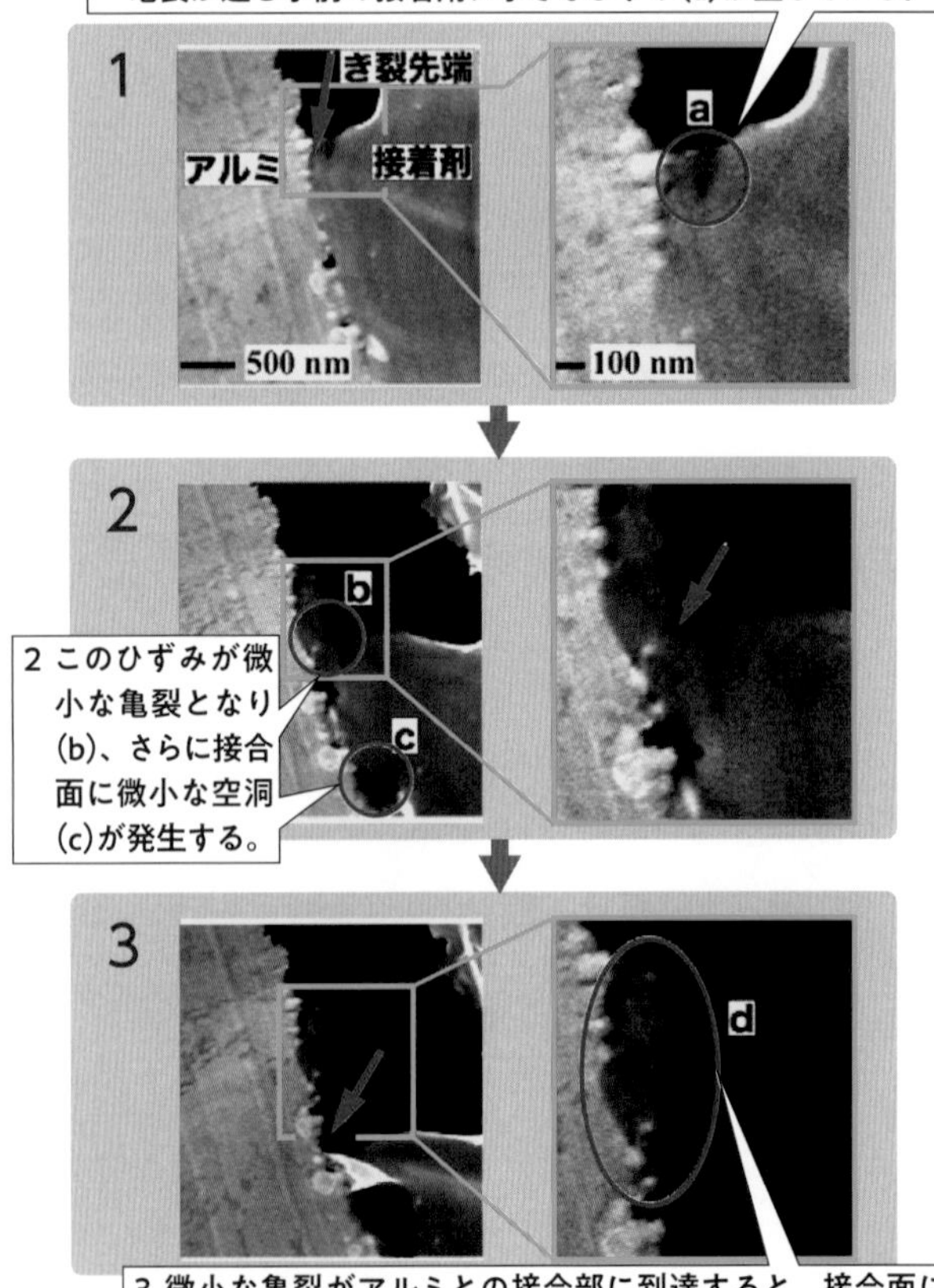

3 微小な亀裂がアルミとの接合部に到達すると、接合面に沿って亀裂が進展し、先立って発生していた微小な空洞と一体化して破壊にいたる。このとき、破壊後のアルミ側には接着剤がわずかに残っていることが確認された(d)。

図 5-7 接着剤が引き剥がされるプロセス

これまでは、亀裂が接着面上を進展することでファスナーが開くように剥離すると考えられていたが、現実はそう単純ではなかった(右は左の拡大)

結果によって鮮やかに真実が発見される、なんてことは、歴史上、そうはない。何よりも、初めて観察したことが貴重なのだ。

その世界初の動画は、以下のURLから視聴できる（https://youtu.be/MNGzI9dqecA）。ミクロの切片が壊れているとは思えない質感たっぷりの映像だが、素人には正直、これを見ただけでは、何が起きているのかよくわからない。そこで、ハイライトシーンを集めた図5－7を見ていただこう。

写真の左に写っているのがアルミ、右に写っているのが接着剤で、両者の間に亀裂が走っていく様子が写っている。それぞれ、右側の3枚は左側の3枚を拡大したものだ。これまでは、亀裂は接着面に沿って、ファスナーを開くようにきれいに走るものと予想されていたが、実際にはもっと複雑なプロセスを経ていることがわかったのだそうだ。

●「接着の謎」解明への大きな前進

この観察によって、接着現象の謎が解明されたわけではない。しかし、この複雑なプロセスが「観察できる」と証明されたこと自体が、謎の解明に向けた大きな前進なのだ。今後は多くの企業などがこの手法をマスターし、さまざまな素材や条件で破壊プロセスを観察することで、多くの知見が蓄積されていくだろう。

「観察対象は無限にあります。それに、同じ基材でも、新品と劣化したもの、あるいは表面処理の異なるものを比較すると、破壊プロセスも変わってくるかもしれません。いまは界面剝離と凝集破壊に大別されていますが、さまざまな壊れかたが明らかになれば、分類がもっと細分化されると思います」

先に挙げた、3つの接着メカニズム（アンカー効果、分子間力、化学結合）の解明も進むだろう。これまで、ものづくりの現場では、たとえばアンカー効果を高めるためにアルミの表面をザラザラに荒らしたり、化学的に変性させて分子間力を上げたり、といった工夫がなされてきたそうだが、じつは、それがどこまで効果的なのかはよくわかっていない。

「化学結合が本当にあるのかないのかはやはり、大きな問題です。それが『ない』ことを証明するのは『悪魔の証明』といってきわめて難しいのですが、少なくともわれわれの観察では、化学結合を示す現象は見つかりませんでした。初の観察でそれが見られなかったことには、大きな意味があると思っています」

堀内さんたちの成果は「接着剤はなぜくっつくのか」というシンプルだが大きな問いに答えを出すための、重要な第一歩といえるだろう。接着の原理が解明されれば、より強力で長持ちする接着剤も開発されるにちがいない。

「とくにニーズが大きいのは、軽量化と耐久性が求められる自動車、飛行機、ドローンなどのモビリティです。しかし、たとえば建築でも接着剤の研究がおこなわれています。木材をネジや釘などの点で留めると反ったり歪んだりしますが、接着剤なら面でくっつけられるのでそうなりません。そのほか、エレクトロニクスや医療の分野でも、接着剤の役割は大きいでしょう」

これまでは大学でも、接着を専門に手がける研究室などは少なかったそうだ。しかし2019年には九州大学に「次世代接着技術研究センター」が設置されるなど、この分野は大きく広がりつつある。科学や技術のフロンティアは、研究職をめざす学生にとっても大きなフロンティアだろう。「手が足りないので、若い人たちに未来のある分野だと思ってもらえるといいですね」と堀内さんは期待している。

科学が解明すべき問題は、ブラックホールやダークエネルギーだけではない。未解決の謎は、われわれの身の周りにあふれている。

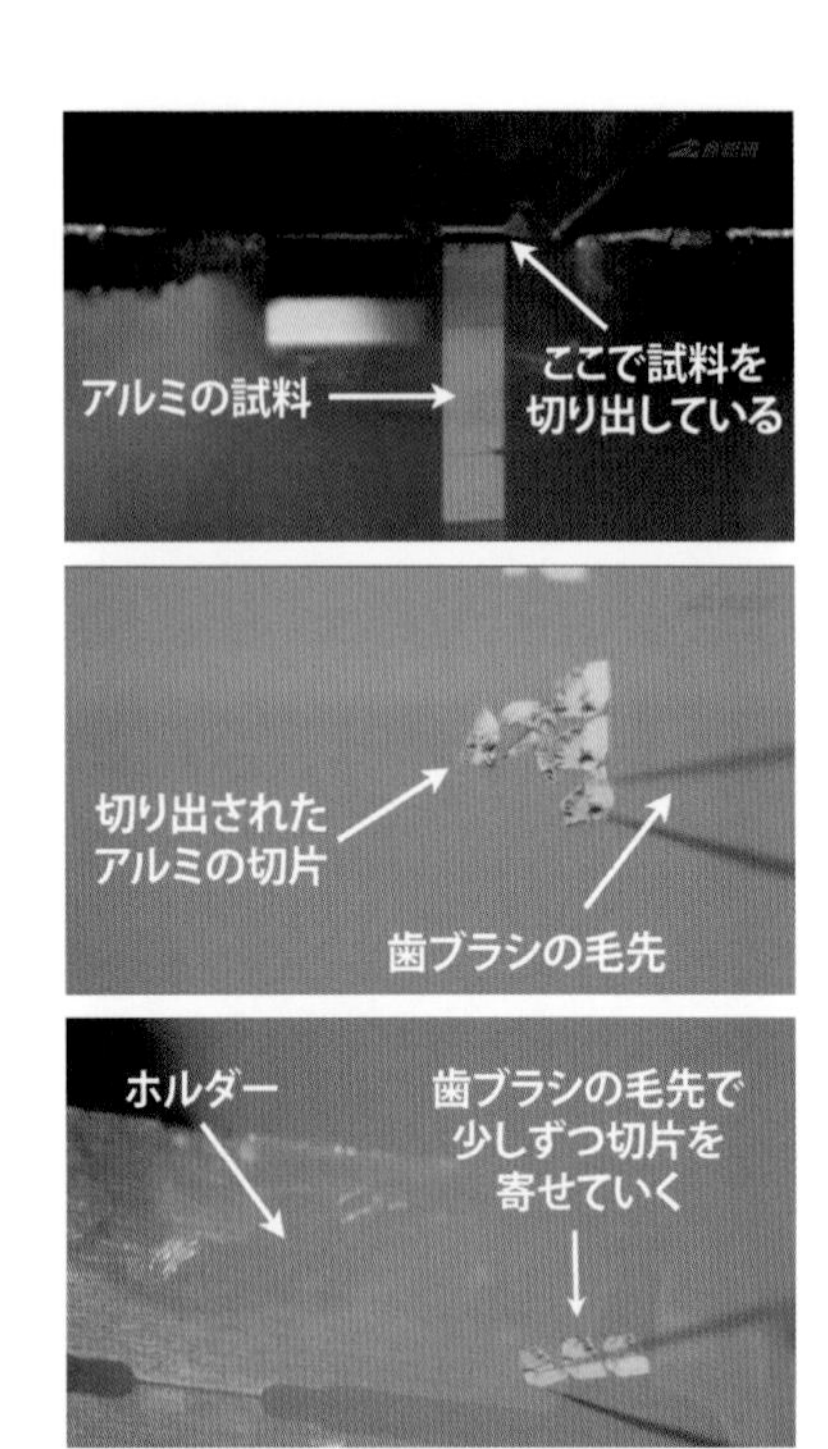

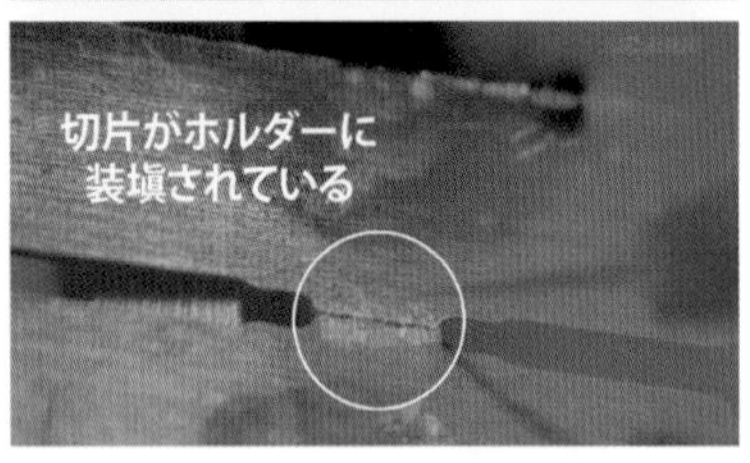

アルミを極薄に切り出した切片を水中に浮かべ、歯ブラシの毛先を使って装置のホルダーに装填するまでの動画のスクリーンショット
動画のURL　https://youtu.be/67D2N-wF7zg

探検時のPROFILE

堀内 伸
ほりうち・しん

材料・化学領域　ナノ材料研究部門　接着界面グループ
上級主任研究員

長年、電子顕微鏡を扱ってきたノウハウをいかして、電子顕微鏡による接着界面の解析とメカニズムの解明に取り組んでいます。

最近の研究では、接着剤が引き剥がされる過程を透過型電子顕微鏡により、リアルタイムで直接観察することに世界で初めて成功しました。

自動車の軽量化による燃費向上などを目的として近年ニーズが高まっている接着接合技術ですが、そのメカニズムにはまだ謎が多くあり、導入のハードルとなっています。メカニズムの解明を進め、接着接合の信頼性の評価・実証につなげていきたいと考えています。

第6章

「光格子時計」は時間を再定義する

その誤差、3億年に1秒!

●時間はどうして「1つ」なのか

新しい年を迎えるカウントダウンが盛り上がるのは、当然のことながら、その場にいるみんなが同じ「時間」を共有しているからだ。これがもしも、

「僕の今年は、あと3秒で終わりだ」

「私の今年はまだ5秒もあるわよ？　あなただけ2秒も早く新年がくるなんて、ずるいわ！」

なんて会話があちこちでかわされるような状況だったら、恋人たちのテンションもそれほどには上がらないだろう。

では、みんなが共有する「時間」とは、いったいどこで生まれているのか、みなさんはご存じだろうか？

イギリスのグリニッジ天文台が世界の標準時を決めていると学校で教わった？

そう、ある時代まではそうだった。世界には「世界標準時」という基準となる時があって、これがあるおかげで、たとえば日本とアメリカの時差は何時間、ということが決められる。そして、その標準時は天文台で、すなわち天体の運行を観測することで決められている――じつは、探検隊員も学校でそう教わっていた。

しかし、どうやらいまは、グリニッジ天文台で世界標準時が決められているわけではないらし

いのだ。そして何が「時間」を決めるかは、これからどうなるか、わからないのだとか！

いったいどういうこと？

探検隊は、時間についてのこんな、知っていそうで知らなかった根本的な疑問の答えが、またしても産総研にあるらしいとの情報をキャッチした。しかも産総研では、何やらすごい時計がつくられているらしい、とも……。われわれは探検を開始した。

時間標準研究グループ主任研究員・小林拓実さん

現在の「時間」を決めている時計とは？

——単刀直入にお伺いしたいのですが、世界の標準時というものは現在、どのように決められているのですか？　もうグリニッジ天文台ではないらしいですね？

いつものように低姿勢なくせに不躾なわれわれに対応してくれたのは、産総研・計量標準総合センターの時間標準研究グループで主任研究員をつとめる小林拓実さんと赤松大輔さんだった。どちらもバリバリの若き物理学者である。

「いまは〝世界の合意〟によって協定世界時が形成されています。昔は、天体の動きに従っていましたが、現在は天体の動きよりも正確な、原子の振動を基準にしています」（小林さん）

世界共通の時間を決める歴史とは、言い換えれば、１秒をどのように定義するかの歴史でもあった。またカウントダウンのカップルにたとえれば、

「５秒たったね。僕たちの新年の始まりだ」

「はあ？　こっちはまだ４秒しかたってないけど？　なに自分だけ新年迎えてるわけ？」

という険悪な状況にならないように、１秒の長さは厳密に決めなければならない。そして、厳密であればあるほど、その決め方は信頼を得られ、世界共通の時間の決め方として採用されるわけだ。

１９５６年までは、１秒は地球の自転をもとに、１秒＝１／８万６４００日と定義されていた。これは10のマイナス８乗程度の精度だった。つまり、０・０００００００１の位まで狂わないということだ。次に、太陽のまわりを回る地球の公転から定義しなおし、１秒＝１／３１５５万６９２５・９７４７年と決められた。精度も10ケタ、つまり０・００００００００01まで上がった。

ところが１９６７年、１秒の定義のしかたは、これまでの天文観測を基準とする方法から根本的に変わり、セシウム１３３原子の固有の振動から定義することになった。セシウム原子時計の

誕生である。

「考え方自体は、昔と変わりません。振り子時計は1秒間に1回、振動する数を数えていって、時計が進む。セシウム原子時計は、セシウム原子にある特定の電磁波と相互作用する性質があり、それを利用して振動数を数えていく。ただ、一定数の振動を1秒として定義するなら、より細かく振動してくれる原子のほうが、より精度の高い時計となるというわけです」（赤松さん）

それから50年をかけて原子時計の精度は上がっていき、現在はついに16ケタまで到達した。0・0000000000000001の精度、ということだ。別の表現をすると、3000万年から2億年で、1秒くらいのズレが生じるだけの精度なのだという。

このセシウム原子時計が、いまは協定世界時を決めていて、カウントダウンのカップルの仲をとりもってもいるのだ。

「みなさんがお使いになっている腕時計も、そのまま放置しておけば、徐々に時間が狂ってきます。その狂いを修正するために、各国に標準時が存在します。日本では、水素原子の共鳴周波数というものにもとづいて1秒の長さを決める水素メーザー原子時計によって決められています。しかしこの時計も、厳密にいえば少しずつ狂いが生じてきます。したがって、その狂いをチェックする時計が必要となります。現在はその役割を、セシウム原子時計が担っているわけです」

小林さんの話を聞いて、隊員の一人に、ある記憶が蘇ってきた。

時間標準研究グループ主任研究員・赤松大輔さん

2019年5月に、国際単位系（SI）の基本7単位のうち、質量（キログラム：kg）、電流（アンペア：A）、温度（ケルビン：K）、物質量（モル：mol）の4つの定義が改定されたとき、同じく産総研の計量標準総合センター長・臼田孝さんの研究室を探検したことがあった。そのときはたしか、1kgの分銅に1億分の5程度の誤差が見えてきたから改定に至ったということだった（141ページのコラム②参照）。これは、10のマイナス8乗の精度だ。

つまり、時間の標準は現在でもすでに、このキログラムの定義よりも8ケタも高い精度を誇っている。この圧倒的な精度こそが、「時間」計測の特徴だ。キログラムやメートルなど、基準単位のなかでも、とくに細かく計れるのが時間なのだ。

ところが、この2人はその時間計測をさらに、精緻化しようとしているという。

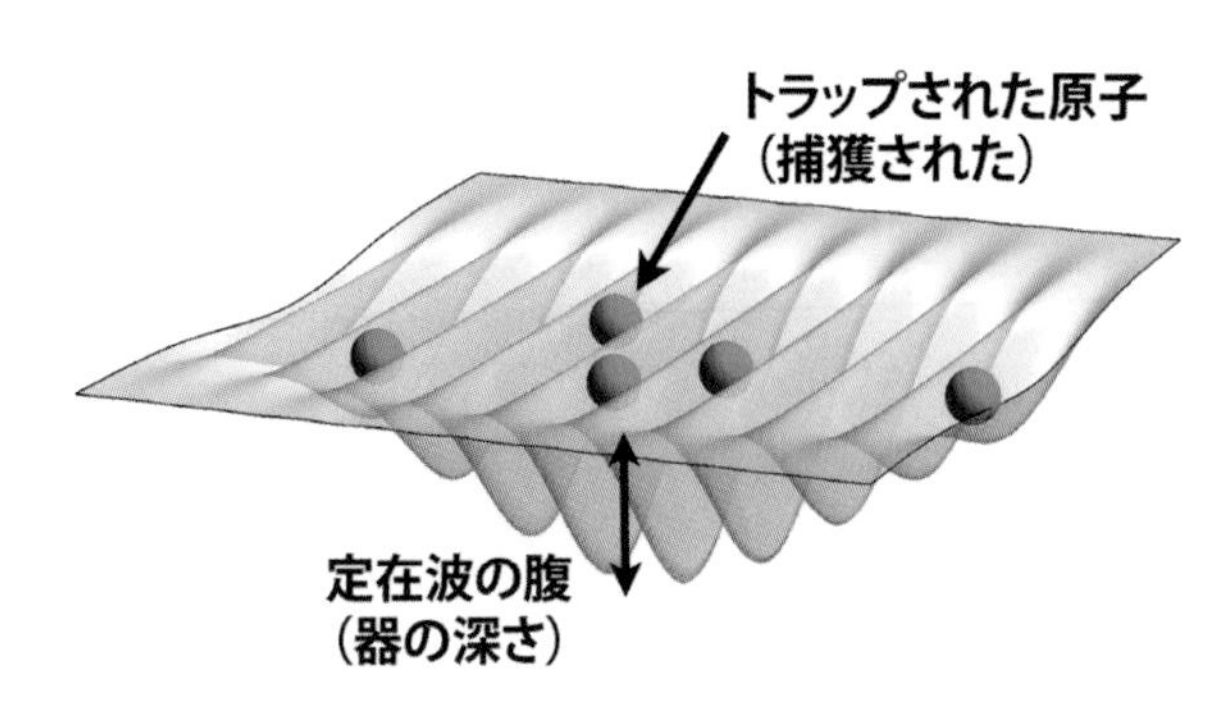

図 6-1 光格子のイメージ
格子状になった定在波の「腹」が原子をトラップする

● どうしてそんなに高精度に？

「いま、各国が決めたその国の標準時を、人工衛星を使って、セシウム原子時計が示す世界標準時に合わせています。ところが、ここへきて、セシウム原子時計よりも、さらに2ケタ、つまり100倍高い精度をもつ、新たな時計のアイデアが出てきました。それが光格子時計です。いま各国は、セシウム原子時計に替わって標準時をチェックし、1秒とは何かを再定義する時計として、この光格子時計の開発にしのぎを削っている状況なのです」（小林さん）

出た、光格子時計！　じつは隊員たちだって、その名前くらいは聞いたことがあった。なにやらすごい、ノーベル賞級の研究だとも。しかし、その名前の文字面だけでは、光の格子ってなんなのか、それがどうして時計になるのか、まったくイメージができない。そんなものを相手にしなければならないこの探検は容易ではないぞと、隊員たちに緊張感が走った。

——そもそもこれだけ精度の高い時計をなぜ、さらに2ケタも高精度にする必要があるのでしょうか?

「じつは、セシウム原子時計を採用するときも、同じようにいわれていました。そんなに高精度にしてなんの役に立つの、と。

時計はもともと、天体の動きと同調して時間を計測することができれば事足りていたのです。しかし、より精度の高い時計ができることによって、新しい技術が発達してきました。たとえば、カーナビなどで位置情報を正確に得られるのは、セシウム原子時計が人工衛星に積まれているからです。地上の誤差数十センチという精度は、セシウム原子時計がなければ実現しません。

でも、セシウム原子時計ができたときには、誰もこんな使いかたができるとは考えていなかったわけです。光格子時計が実用化された10年後には、いまでは想像もつかない、あっと驚くような技術が出てくるかもしれませんよ」(赤松さん)

● 光格子時計とはどんなものなのか

時計がわれわれの生活をガラリと変える新技術を実現するかもしれない——そう考えるとワクワクしてしまうが、そのセシウム原子時計を2ケタ上回る精度の「光格子時計」とは、どのようなしくみなのだろうか。

「光格子時計の原理は、２００１年に香取秀俊さん（現・東京大学教授）が提案し、２００５年に実現させました。産総研でもこの技術をもとに、実用化に向けた研究をしています。光、つまり電磁波というのは、電磁場の振動です」（赤松さん）

光格子というのは、レーザー光を重ね合わせたときにできる波（これを定在波という）の「腹」（波の振幅のもっとも大きなところ）が、格子状に並んでいる状態（129ページの図6－1）からきている言葉なんだそうだ。格子状に並んだ光の〝器〟を用意して、そこに、計測する原子をトラップして、原子の動きを止める。これにより、振動数を測りやすくしている。原子が動いてしまうと、ドップラー効果によってズレが生じてしまうので、振動を正確に測ることができない。原子の動きを止める光格子をつくる技術が開発されたことが、大きな発明だったのだ。

「香取さんのすごいところは、一度に１０００個の原子を格子状の〝器〟の中に入れて計測の時間を縮めていることです」（赤松さん）

そこらじゅうを飛び回って動く原子を、格子状の〝器〟に閉じ込めるポイントは、香取さんが発見した「魔法波長」のレーザー光だという。原子はそれぞれ異なる電子状態を持っているのだが、レーザーを当てると、せっかく光格子で捕えた原子それぞれのもつ特定の周波数に、変化が生じてしまう。その変化は、計測にとってはズレを生んでしまう邪魔なものだ。香取さんは、その変化をゼロにできる、まさに魔法のような波長を見つけたそうだ。
「通常なら、数百ミリワットのレーザー光を当てると原子の状態が変わるはずなのですが、魔法波長のレーザー光を当てると影響を受けないのです。原子にとっては、捕まっているのに何も感じていないような状態で、観察者はこの間に、原子を計測できるというわけです」（赤松さん）
話を聞いているうちに、隊員たちも光格子時計とはどのようなものなのか、実際に見てみたくなってきた。ちょっと見せてもらえますか？

● まるまるひと部屋を占める巨大時計

「いま稼働中なので、慎重にお願いします」

と、注意を促されて見た装置は、想像以上に巨大なものだった。

部屋いっぱいに電子機器が並んでいるが、文字盤はおろか、目盛りすら見当たらない。いったい、どの部分が時計なのだろうか。

「ここは70㎡くらいの広さがあるのですが、この部屋に収められた装置全体が光格子時計です（136ページの図6－2）。まだ実験ベースなので、大きさは考慮せずにつくっています。みなさんが腕につけている時計よりもきわめて繊細で弱いもので、振動や音にさえ影響を受けてしまいます。以前の世代の時計は、2〜3時間しかもちませんでした」（赤松さん）

――えっ？　たったの2〜3時間で止まるのですか……。

「時計そのものがほとんど自作のようなものですから、機械のクセみたいなものがあります。それらを克服しながら、2019年10月から2020年3月にかけて、稼働率80％以上という世界最高水準の安定運転に成功しました。光格子時計がいよいよ、実際に使える段階にまできたと考えています」（小林さん）

●レーザーを複雑に組み合わせる

小林さん、赤松さんたちが開発したのは、柱時計でいえば振り子の役割を果たす原子として、イッテルビウム原子（Yb）を用いた光格子時計である。原子時計で使われるセシウム原子は特定の周波数が約9・2GHz（ギガヘルツ）なのに対して、イッテルビウムで計測されているのは約518THz（テラヘルツ）と、より細かく振動してくれるため、精度を2ケタ上げられるのだ。

だからといって、そう簡単に実現できるわけではないようだ。このイッテルビウム原子を用いた光格子時計では、さまざまな役割を持つレーザー光が、きわめて繊細に制御され、組み合わされている（137ページの図6-3）。イッテルビウム原子は約400℃に加熱され、ビームとなって光格子に投入される（光格子レーザー）。ところが、投入スピードが速すぎると光格子で原子をトラップすることができないため、向かい側からイッテルビウム原子のビームを減速させるレーザーを照射する（減速レーザー）。同時に、原子を封じ込めるレーザー（冷却レーザー）を照射して、４００℃から一気に10μK（マイクロケルビン）まで冷却する。そして、光格子にトラップされたイッテルビウム原子の信号を読み取るレーザー（時計レーザー）を照射してチューニングすることで、ようやく高精度の時計の信号が得られる。

これだけの緻密な構成で、それぞれのレーザーを長期間、安定に動作させることは、かなり難しいことだという。とはいえ、その誤差はやはり、ハンパない。この探検時（２０２０年）には９０００万年に1秒程度とされていたが、その後、２０２３年には、９・８×10のマイナス17乗、つまり3億年に対して1秒程度にまで進化しているという。

時計が止まると夜中に叩き起こされる

――なかなか気難しそうな時計ですね……。

「最初は、研究室に人がいるときしか動かしていませんでした。とにかく、すぐに止まるからです。人って、けっこう音を出すもので、本を読んでいるだけでも、ちょっと足が机に当たったりすると、もう止まっていたり（笑）」（赤松さん）

「堅牢にしたうえで、装置のクセを見抜きながら長時間の運転にこぎ着けていきました。意外と大きかったのは、時計が止まったときにメールで関係者に知らせるしくみを構築したことでした。帰宅後も時計を動かすようになってから、夜中に止まるとメールが来て、一番近い関係者が調整にいくようにしたんです。週に2回は夜中にメールが来ましたよ（苦笑）」（小林さん）

まるで手のかかる成長期の子どものようである。

「自動復旧する機能も、取り入れてはいるんです。でも、なにしろ精度が高いので、装置をピタッと戻すには人の力が欠かせない。ただし、当然ながら、戻りさえすれば正確に時を刻む時計です」（赤松さん）

２００９年にイッテルビウム光格子時計の開発に成功し、10年をかけて実用化のメドをつけた2人が見ている先には、時間の単位である「秒の定義」を改定する動きがある。

● 秒を「再定義」するための熾烈な競争

国際度量衡委員会は、１９６７年に定めた「秒の定義」を、現在のセシウム原子の周波数差から、光にもとづく定義へと変更すべく動いている。いまより高い精度で「１秒」を定義しなおそうというわけだ。〝その時〟に備えて、さまざまな研究者たちがしのぎを削っている。

「セシウム原子では、もうこれ以上の精度は出せないだろうと考えられています。そこで、次世代の秒の定義のために、私たちが取り組んでいる光格子時計や、そのライバルである単一イオン

図 6-2 **光格子時計**

部屋全体を時計が覆いつくしている

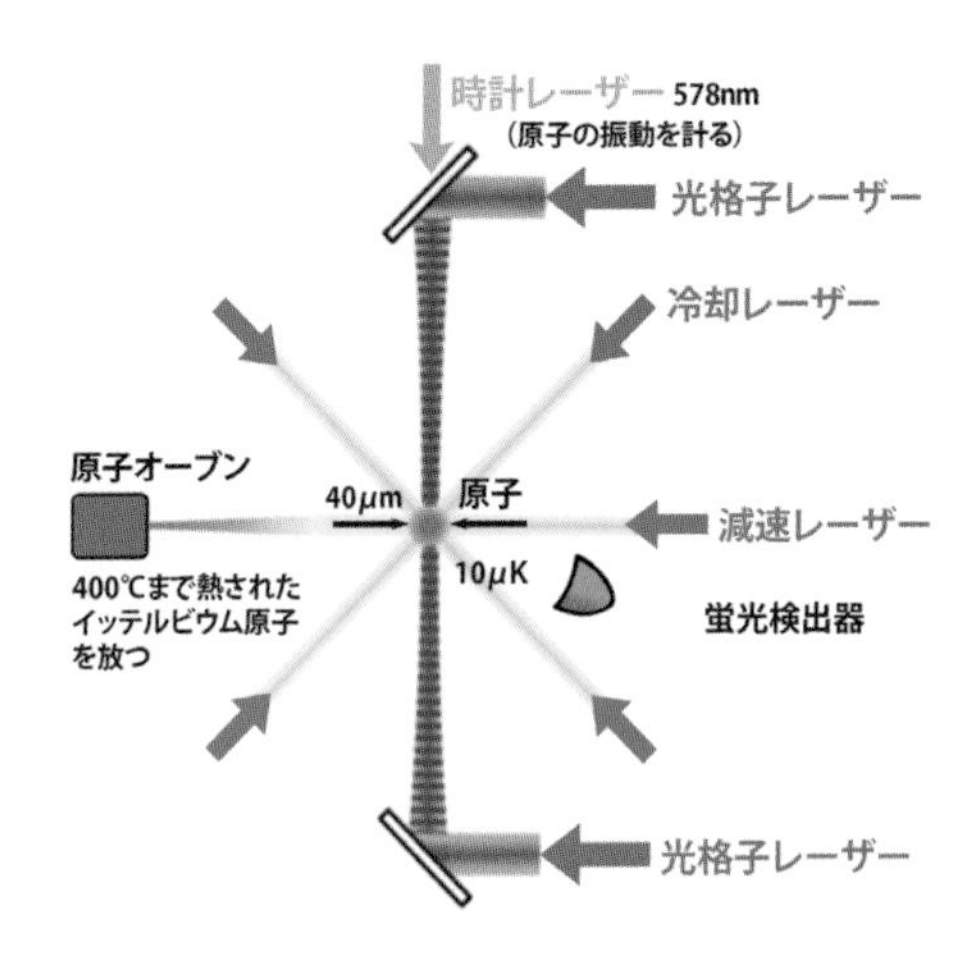

図 6-3　イッテルビウム原子を用いた光格子時計の構造
さまざまな役割をもつレーザーが複雑に組み合わされている

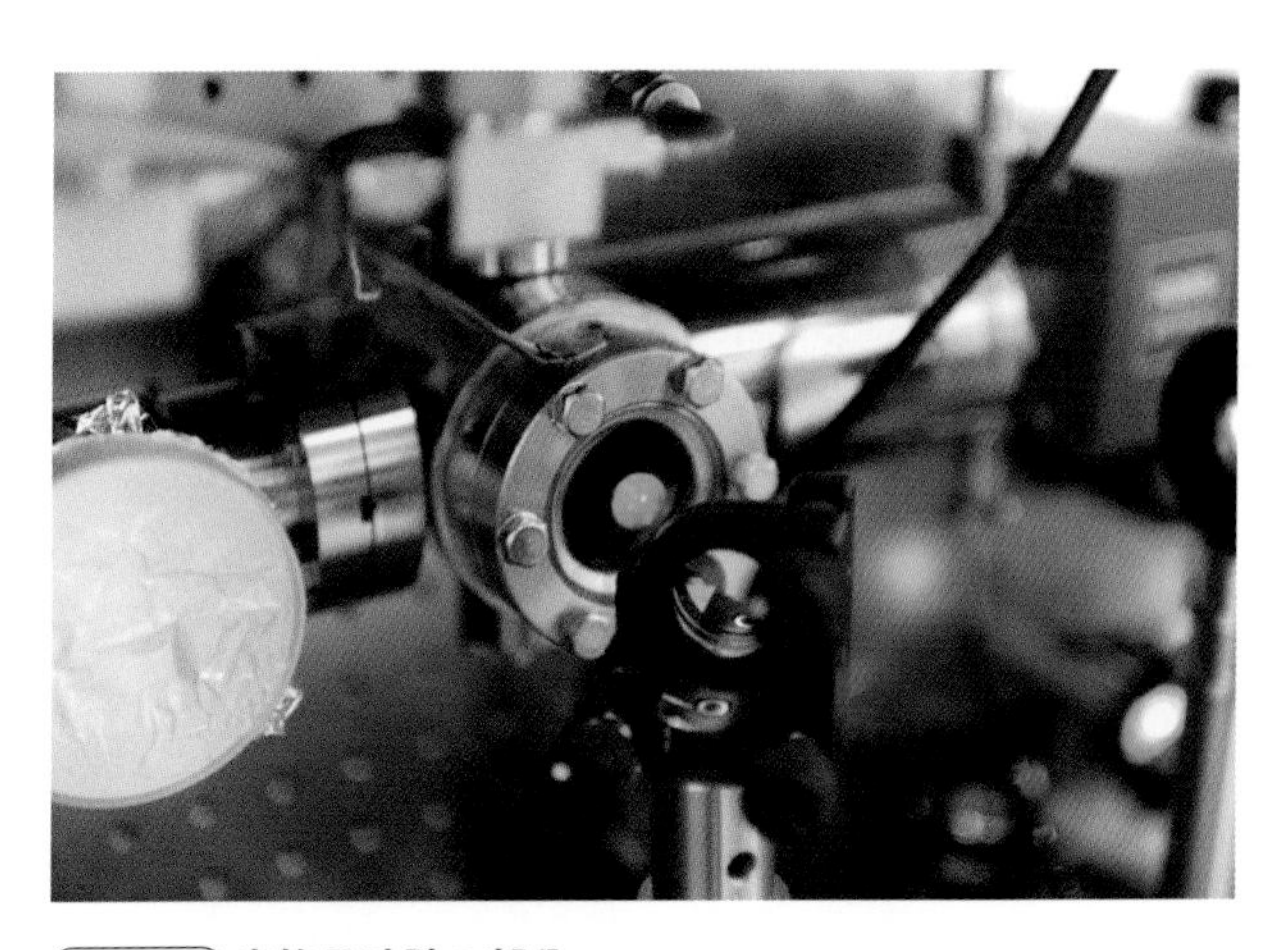

図 6-4　光格子時計の部分
きわめて繊細で、振動や音にも影響を受ける

時計などが、次の計測器の座を争っているんです」（赤松さん）
「産総研を含む、世界7機関が開発した光格子時計が、世界の標準時をチェックする能力があるとして、国際度量衡委員会にお墨付きをもらっています。そのなかの一つとして、定常的に世界の標準時のチェックをおこない、光格子時計の優位性を示していきたいと思っています」（小林さん）

●相対性理論を体感できる

キログラムやメートル、アンペアなどの国際単位系のなかでも圧倒的に精度が高い「秒」だが、さらに精度を高めていくことで、新しい世界や技術も見えはじめている。

前出の香取教授は、アインシュタインの「重力によって時間の流れは変わる」という一般相対性理論を証明するため、高低差のある別々の場所に光格子時計を置いて、時間の流れの違いを計測したという。その結果、実験室レベルでは、なんと1㎝の差があれば光格子時計で計測できるのだという。

まさに驚異の計測だが、それこそが、この研究の面白みだと二人は感じている。

「秒や周波数は、物理量のなかでももっとも誤差なく計ることができる量です。その点がまず、単純に面白い。『正確性の魅力』がこの研究に入ったきっかけです」（赤松さん）

「18ケタの精度で何かを測定できるものは、ほかにありません。基礎物理定数というものが、本当にずっと一定で不変なものなのかということを、光格子時計で検証することができるのではないか。その点に興味深さを感じています」（小林さん）

私たちの腕時計には、18ケタもの精度は必要ない。せいぜい標準時をひんぱんにチェックしているスマホの時計を見ていれば、日常生活では十分に間にあうし、恋人たちもカウントダウンで盛り上がれる。しかし、それらの時計の正確性をチェックしてくれる時計には、ケタ違いの精度が要求されるのだ。

そして、そんな時計はまた、私たちの生活を流れる時間とは別次元のものまで見せてくれそうだ。精度の高い計測は、そんな可能性を秘めているのである。

探検時の PROFILE

小林 拓実　こばやし・たくみ（右）
赤松 大輔　あかまつ・だいすけ（左）

計量標準総合センター　物理計測標準研究部門
時間標準研究グループ　主任研究員

現在、国際原子時や協定世界時は、1秒の定義であるセシウム原子時計によって校正がおこなわれています。将来の秒の定義の候補である光格子時計は、セシウム原子時計よりも精度が高いことが示されており、今後、この高精度な光格子時計を用いて、どのように国際原子時を運用するかは重要な研究課題です。
とくに、光格子時計を連続、あるいは定期的に運用できるシステムの開発が求められているなかで私たちは2020年、光格子時計の半年間にわたる高稼働率運転を達成し、国際原子時の1秒の長さの校正に寄与しました。今後も、定常的に光格子時計を運用し、秒の再定義に向けた貢献をめざします。

コラム②

指紋ほどの変化も許さない定義

2019年5月20日、日本では「令和」への改元で祝福ムードが冷めやらぬなか、世界を揺るがす（?）大イベントがあった。130年ぶりに、キログラムの定義が改定されたのである。もう少し正確にいうと、「国際キログラム原器」という金属分銅を基準とする定義から、量子のエネルギーに関連する物理定数「プランク定数」を基準とする定義へと変わったのだ。プランク定数……ブルーバックスの愛読者ならご存じのはずの、量子力学で出てくる「アレ」だ。

もともとキログラムは1889年に、直径および高さが約39㎜の円柱形で、質量がピッタリ1キログラムの分銅「国際キログラム原器」がつくられ、世界の質量の〝ご本尊〟として厳重に守られ、基準とされてきた。その超精密なレプリカが世界で40個つくられ、日本にもその「No.6」が、産業技術総合研究所に保管されている。

が、20世紀末、そのご本尊に、微妙な変化が起きていることがわかった。その値は、わずか約50μg。指先の指紋の油脂一つほど。130年で1キログラムに対して1億分の5というわずかな変化が、現代の科学は看過できなくなったのだ。なんとも世知がらい。

2011年、将来は国際キログラム原器を引退させ、新たにプランク定数という物理定数で1キログラムの質量を決めることが、国際的に合意された。この定数は世界中どこでも変わらず、時間の経過によっても変化しないため、きわめて安定な質量の基準となると考えられたのだ。ただし、この時点では、プランク定数の正確な値がじつはよくわかっていなかった（！）。このままではさらに変化が大きくなる、との危機感のもと、世界の研究機関にプランク定数の正確な測定を呼びかけたのである。

それはともかく、なぜプランク定数からキログラムが定義できるのか。プランク定数とは、「光の粒子が持つエネルギーはその光の振動数に比例する（$E=h\nu$）」という法則に基づく数字で、さらにアインシュタインの「エネルギーと質量の等価性（あの有名な$E=mc^2$）」を用いることで、プランク定数が決まれば質量が計算できるのだ。

こうして産総研を含む世界各国の研究機関で、プランク定数を正確に測定するための研究が加速した。採られたのは、原子1個の質量を正確に測ることでプランク定数を逆算する、X線結晶密度法という方法だった。

99.99％という超高純度のシリコン結晶体（Si）の球体を用意する。シリコンとは、パソコンなどの半導体に使われているアレだ。半導体製造技術のおかげで、結晶の最小単位である立方体（単位格子）がとても規則正しく並んでいる単結晶体が得られる。この単結晶体で1kg相当の球体をつくり、その体積を精密に測定すれば、球体に含まれるシリコン原子の数（アボガドロ数といわれるものに相当）がわかり、原子1個の持つ質量がわかるというわけだ。

計量標準総合センターに保管されている「日本国キログラム原器」（右）と、新定義をつくる鍵となるシリコン球

シリコンは、材料となるケイ素をロシアで遠心分離機にかけ、同位体の純度を99・99％に高めて、ドイツで単結晶化した。材料費だけでなんと1kgあたり1億円もかかるという。それをオーストラリアで、レンズ磨きの要領で完全な球体に加工した。ただし、どんな名人が研磨しても1kgぴったりにできるわけではない。その球体を、超高精度な真空天秤を用いて日本国キログラム原器と比較して質量を決定する。

だが、本番はここからだ。プランク定数を決定するには、球体の体積を精密に計測しなくてはならない。超高精度のレーザー干渉計を使って、直径約94㎜のシリコン単結晶球体を、2000方位から計測した。そのレーザーの発振波長は、「周波数」の国家標準である産総研の原子時計に同期されている。また、シリコンの熱膨張の影響を排除するため、温度を真空中で1万分の1の精度で制御しなければならないが、そのために産総研の「温度」の専門部署も加わった。さらに、球体表面の酸化膜や不純物の影響を評価するために「表面分析」の専門部署も計測に参加した。

こうして産総研の計測のエキスパートたちが総力をあげてデータを積み重ねた結果、産総研は「1億分の2・4」という世界最高レベルの精度でプランク定数を決定することができた。これは1kgに換算すると24μgであり、ご本尊の安定性である50μgをしのぐ精度である。

2018年、世界で得られた8つの高精度な測定値に基づいて、キログラムの定義が次の通りに決まった。

プランク定数を10の34乗分の6・62607015ジュール秒
とすることによって定まる質量

8つの測定値のうち、じつに4つが日本で測定された値だった。これを支えていたのが日本の科学者や技術者だと思うと、なんとも誇らしい。

なお、定義の改定にともない、日本国の旧キログラム原器もお役御免なのかと思いきや、2022年に国の重要文化財に指定され、最高性能の分銅として引き続き、日本の質量計測の信頼性の一翼を担うことになっている。

まるで小さなブラックホール！
「暗黒シート」はなぜそんなに黒い？

●「本物の暗黒」は存在するのか

あなたは、「本物の暗黒」を見たことがあるだろうか。

それはつまり、ほかの色や光がいっさい混じっていない、本当の真っ黒、完全なるブラックのことだ。人はなぜか、暗黒に惹きつけられる。そして同時に、底知れない恐怖も感じてしまう。黒は不思議な色だ。しかし、そもそものような暗黒は存在するのだろうか。

水深200mの深海には、海面に届いた太陽光の0・1%しか到達しない。水深1000mで100兆分の1となり、この深さが光が届く限界だという。つまり本物の暗黒とは、そういうところへ出かけていってようやくご対面できるものなのだ。しかし、そういうところは水圧がすさまじい（水深1000mでは、小指の先くらいの面積に約100kgの水圧がかかる）ので、気軽に出かけることはできない。

あるいは暗黒といえば、宇宙の「暗黒天体」ブラックホールを思い出す人も多いだろう。ブラックホールが完全な暗黒に見えるのは、内部から外に出ていこうとする光が、ブラックホールの重力につかまって、まったく外に出られないからだ。原理的には、これと同じことができれば本物の暗黒をつくり出すことができる。とはいえ、それだけの重力を生みだすには、たとえば地球を、質量はそのままに、一辺が約9㎜の立方体（角砂糖くらいのサイズ）にまで圧縮しなくてはならない。もちろん、そんなことはできるはずもない。

　このように、本物の暗黒を見ようとしたら、深海のすさまじい水圧や、ブラックホールのとんでもない重力などを相手にしなければならないから、実際に見ることはほぼ不可能なのだろうと、なんとなく探検隊員たちは思っていた。

　ところが、２０１９年４月、そんな先入観を揺るがす情報が入った。「究極の暗黒シート」なるものが、産総研で開発されたというのだ。究極の？　暗黒シート？　なんだそれは？　まさか、本物の暗黒が実現したとでもいうのか？　一も二もなく、隊員たちはすっ飛んでいった。

●これが「暗黒」の手ざわりなのか

　目の前に、コースターのような10センチ四方ほどのシートが置かれている。紙なのか、布なのか、ぱっと見にはよくわからないが、黒い。とにかく黒い。どうやら、これが噂の「究極の暗黒シート」のようだ。

　隣には、それと比較するためなのだろう、同じ大きさの、ひと目でゴム製とわかるシートが置かれていた。こちらも黒いのだが、光を反射していてテカりが目立つ。それに比べ、暗黒シートは反射がないので、もしかしたらこの向こうには奥行きがあるのではないか、となにやら不安な気持ちにさえなってくる。

「さわってみてください」

爽やかで落ち着いた声が響く。産総研の計量標準総合センターで、物理計測標準研究部門の研究グループ長をつとめる雨宮邦招さんだ。

爽やかに暗黒を追い求める雨宮邦招さん

おそるおそる、さわってみると、ツルツルしているゴムシートとはまったく違って、「暗黒シート」にはビロードのような感触があった。不思議な手触りだ。ザラザラしているわけではなく、ツルツルしているわけでもない。じつはこの感触に「暗黒」をつくり出す秘密が隠されているらしい。

暗黒をつくり出すのはミクロの凹凸だった

雨宮さんたちが開発したのは、水深1000mの深海に閉じ込めるわけでも、ブラックホールのような重力でつかまえるわけでもなく、光を暗黒シートから逃さない方法だった。いったいどうすれば、そんなことができるのか。

「暗黒シートの表面にはミクロの凹凸がつけてあります。これが光を吸収するのです」

その凹凸は、穴の深さが数十マイクロメートルだという。そんな小さなものでいいのか。生物の大きめの細胞1個と同じぐらいだ。当然、目で見てもわからないので、雨宮さんが電子顕微鏡の写真（図7－1）で説明してくれる。

「写真では、鋭角の三角錐が、基板に隙間なく並んで立っている感じに見えますが、断面を見ると、円錐状の穴で埋め尽くされた状態になっています。凸というよりは凹が並んでいるわけで

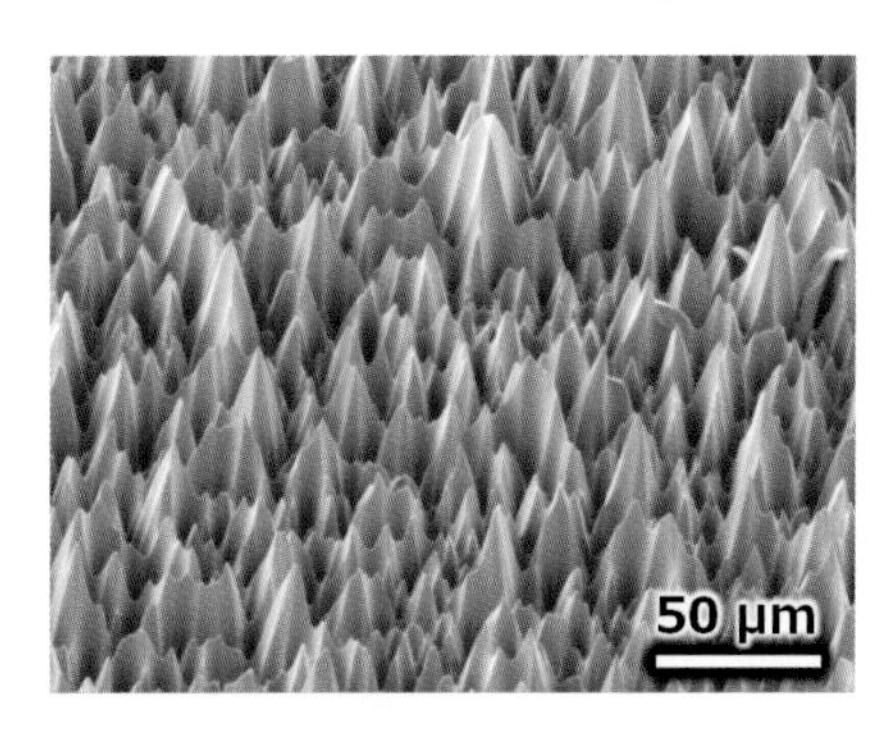

図 7-1　電子顕微鏡で見た暗黒シートの表面

一見、三角錐がびっしり並んでいるようだが、じつは円錐状の穴が並んでいる

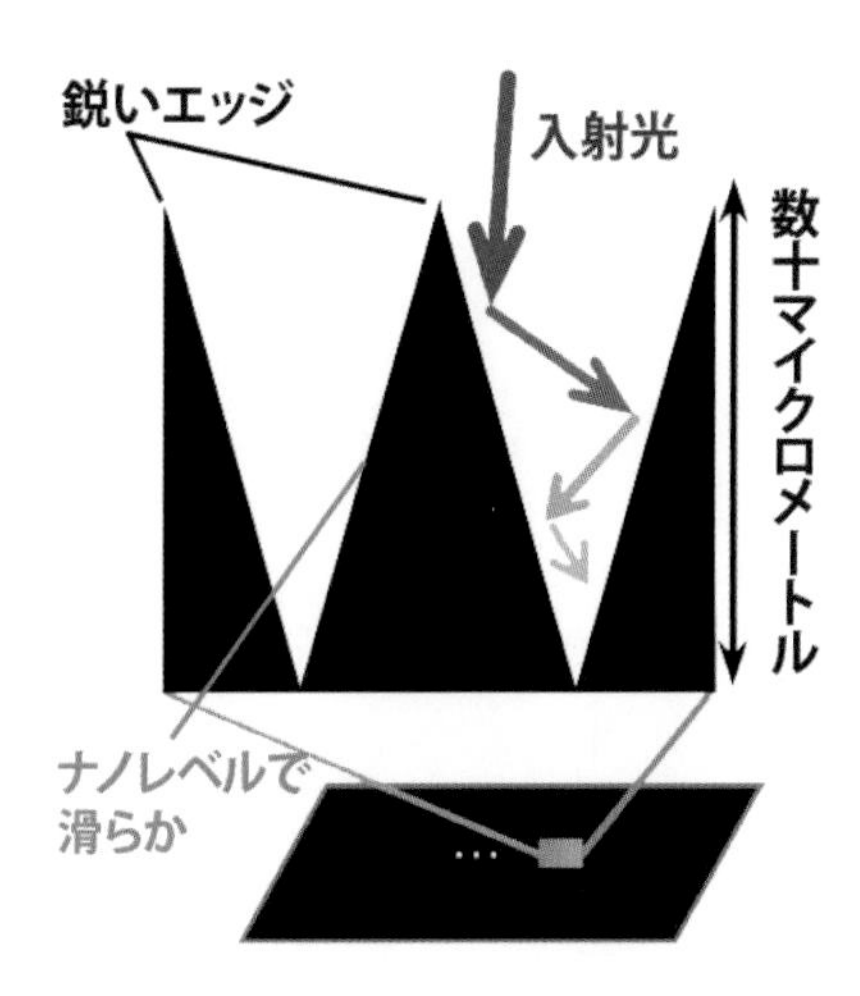

図 7-2　暗黒シート表面の模式図

光は穴の傾斜に何度も反射して吸収されていく

す。外から光が入ってくると、この穴に光が吸収されて出られなくなるのです」

光が吸収されて出られなくなるしくみは、次のようなものだ（前ページの図7－2）。円錐状の穴に入った光は、傾斜になんども反射しながら、穴の奥に落ちていく。まるで光の蟻地獄のような構造になっている。そして、反射のたびに黒い素材が光を吸収していくため、反射率が抑えられる。さらに、凸の部分は頂点が丸みを帯びることなく鋭く尖っているので、頂上からの反射光も抑えている。これが黒く見える理由だ。

――では、このしくみによって「究極の暗黒」が実現したのですか？

「いいえ、いまのところ、暗黒シートの光吸収率は99・5％までいったところです。比較した黒いゴムシートで95％くらいでしょうか」

99・5％の光吸収率ということは、0・5％しか光を反射しないということだから、0・1％しか届かない水深200mの深海レベルまで、もう少し、というところだろうか。一見、なんの変哲もないこのシートで、それほどの暗黒が実現しているのは、すごいことだと思う。

一方では、ゴムシートがあれだけテカっていたのに、光吸収率は暗黒シートと4％ほどしか違わないのも、意外な感じがした。

◉実用性ではすでに「究極」レベル

本当の意味での「究極の暗黒シート」完成が楽しみでならないが、すでに、ある意味で雨宮さんたちは「究極」の境地にたどりついているようだ。

「じつは、もっと光を吸収する素材はもうあるんです。それはカーボンナノチューブの中でも『配向カーボンナノチューブ』と呼ばれているもので、99・9％以上の吸収率を達成しています」

――え？　そんなものが？　では、世界一ではないのですね。二番手でいいのですか？

「配向カーボンナノチューブ製のものは、じつは壊れやすく、指でさわっただけで吸収率が落ちてしまいます。ところがこの暗黒シートは、さわっても大丈夫なんです。実用性の点では圧倒的にこちらが有利です」

さわれるか、さわれないかの違いは、構造によるという。たとえていえば、配向カーボンナノチューブ製は、短い芝生がグランドに生え揃っている状態だと思っていただきたい。そこが巨人の指で押さえつけられたら芝生はへたってしまい、下地も見えてしまう。そうなると反射率は上がる。しかし、暗黒シートは陸上競技のトラックのように丈夫なゴムでできているため、へたったりしない。実用性では圧勝なのだ。

図7-3 鋳型（左）と暗黒シート（右）

● 構造をつくり出す秘密は「イオンビーム」

暗黒シートがすでに、かなり「究極」の形に近づいていることはよくわかった。その原動力はやはり、高い光吸収率を実現する表面の構造といえるだろう。では、この微細きわまりない凹凸を持つシートは、どのようにしてつくられているのだろうか。

「暗黒シートも、じつはゴム製です。カーボン（炭素）を混ぜた黒いシリコンゴムを鋳型（図7－3）に流し込んでつくっています。重要なのは、このような表面形状にするための鋳型です。鋳型となる素材に細かく鋭い円錐状の穴を開けていく作業は、工場ではできないんです」

数十マイクロメートルという小さな円錐状の穴を、鋳型一面にびっしりと開けるという工場ではできない工程を、自分たちでやるための秘密兵器――それが「イオンビーム」だ。特撮ヒーローの必殺技のような名前だが、暗黒づくりにおいては、そのくらいの価値がある。

図 7-4 ダッシュボードに置かれた暗黒シート

「鋳型の素材はＣＲ－39という樹脂です。眼鏡のレンズに使われることもあるのですが、その高性能版だと思ってください。その分子構造がこの方法に向いているのです。そこに量子科学技術研究開発機構（ＱＳＴ）の協力のもと、サイクロトロン加速器から発射したイオンビームを当てていきます。さらに濃い水酸化ナトリウム溶液で表面を溶かして、穴を開けるのです」

イオンを当てて穴を開ける——細かすぎて、頭の中の電子顕微鏡で想像するしかない。しかし、この気が遠くなるような細かい作業が、こと光の吸収という点においては、水深１０００ｍの深海や、地球を角砂糖サイズにしたブラックホールと同じ効果を生みだしているとしたら、とてつもなく大きなことをやっているようにも思えてきた。

● あちこちにある「邪魔な反射」を取り除く

さて、ここまでわれわれは、暗黒にばかり目を奪われていて、雨宮さんにとても基本的なことをまだ聞いていなかった。

――それで、この暗黒シートは、いったい何に使うのですか？

「用途として考えているのは、とにかく光の反射を嫌う、あらゆる場面で暗闇をつくり出すこと、ですかね。たとえば、映画館やプラネタリウムの天井。望遠鏡の筒の中。仮想空間を見るためのVRヘッドセットの中などです」

VRヘッドセットや映画館の用途は、没入感をつくり出すためで、望遠鏡の中に使うのは、微量の光の乱反射も嫌うという技術的な問題のためだそうだ。

雨宮さんは、自分の車のダッシュボードに置かれた暗黒シートの写真を見せてくれた（前ページの図7－4）。なぜそこに必要なのだろうか。

「ダッシュボードではなく、そこが反射しているフロントガラスを見てください。映り込みがないでしょう」

ああ、たしかに！　反射がないから、前面がクリアに見える。これなら見通しがいい。

●バックにいるのは「あの組織」

しかし、暗黒シートの用途はどうも、これだけではなさそうだ。その話をするための前置きとして、雨宮さんはこんなことを言った。

「じつは、こういった暗黒材料のバックにはたいてい『計量標準』の人間がいます」

——バックにケイリョウヒョウジュン？

「まず、きわめて低い反射率を正しく評価するためには、計量標準の専門家が必要です」

隊員の一人が雨宮さんの名刺を見ながら、動揺したような声をあげた。

——ああっ！　ご所属が産総研の「計量標準総合センター」ですね。しまった、気がつかなかった！　ということは、あなたも、あの一派なのですか⁉

この隊員は、第6章で紹介した光格子時計、そして141ページのコラム②で紹介した国際キログラム原器と、きわめて厳密な計測が求められる計量標準にかかわる探検に続けて参加した。エキサイティングな成果は得られたものの、小数点以下にゼロが10個以上も並ぶ、あまりにも細かい話が苦手で、「計量標準」に恐怖心を持っていたのだ。

「私は光の担当です。光の明るさにも当然、計量標準があります」

照明器具を買うと、何ルーメン（lm）とか、何ワット相当とか、書いてある。

「ルーメンは〝光束〟の単位で、照明の明るさを表します。一方、国際単位系（SI）における光の基本単位はカンデラ（cd）で、〝光度〟の単位です。すべての方向に放出される光の総量で電球の性能を表すのがルーメンで、ある方向から見たときの明るさがカンデラ、と思って差し支えないです。光束や光度の数値を導き出すには、光のパワー（出力）の計測が不可欠です。この光のパワーを正確に測るためには、じつは究極の黒が必要なのです」

光源からの光がどれだけのパワーを持っているのか、正確に計測するためには、よけいな反射のない壁が必要となる。じつは、それこそが暗黒シートの重要な用途だったのだという。

では、暗黒シートがなかったこれまでは、光のパワーをどうやって測ってきたのか。

「黒体空洞という、暗黒シートの円錐状の穴ひとつひとつと似たような構造のものがあり、それを使ってきました。暗黒シートよりかなり奥行きのある黒い空洞体で、光吸収率は99・9％以上。これですべての光をとらえて検出し、光の計量標準を何十年も支えてきています」

――なんと、そんなものが。それなら、なぜ「暗黒シート」が必要なのでしょう。

「平面状で大きな面積の暗黒材料が必要になってきたからです。黒体空洞だと、それは難しいです。配向カーボンナノチューブなら平面状にはできますが、今度は少しさわっても傷ついてしまうので耐久性に問題がある。その点、『暗黒シート』ならちょっとしたことでさわってしまっても大丈夫なので、実用性が高いのです」

ちなみに、この「暗黒シート」は、可視光だけではなく、赤外線も吸収するのだという。

「光は、さまざまな波長を持つ電磁波です。可視光より波長の長い赤外線は、このシートでは理論上の吸収率99・9％が現実に達成できているのです」

——赤外線を吸収するとなにがいいのでしょうか。

「空港などで体調の悪い人をサーモグラフィで検出しますね。あれは熱赤外線を測る機械です。サーモグラフィが人の体温を測れるのは、38度の体温の人は赤外線を周りよりもたくさん出していて、それを赤外線センサーでとらえて画像化するからです。これもカメラの性能をよくしようと思うと、よけいな方向から来た赤外線の乱反射を防ぐための素材があると便利なんです」

熱赤外線の波長域で99・9％以上の光吸収率は、世界最高水準だという。

● SNSでも話題の「中二病」的ネーミング

「暗黒シート」は、最近復活してきた塩ビのレコードと同じで、原盤（鋳型）さえあれば、いくらでもつくることができる、耐久性もある、というところも評判を呼び、２０１９年の春に発表して以来、企業からいくつもの問い合わせが来たという。

一般人の反応も早かった。産総研のツイッター（現X）に「究極の暗黒シート」の動画がアップされると、堅めの研究機関には珍しく「バズッた」らしい。

名前が中二病っぽい
ネーミングだけで、優勝

そんなコメントが寄せられた。

「なんの優勝なのか、わかりませんが（笑）。うれしいです。こんなにも問い合わせをいただけるとは思ってもみなかった」

しかし、中二病っぽいという指摘は、意外と的を射ているのかもしれない。黒はなにものにも染まらない。独立独歩、相手にはその奥行きさえ摑ませない。そこに惹きつけられるのは人間の本能的なものかもしれない。ちなみに、雨宮さんが乗っている車の色も黒だという。

●ついに「99・98％以上」を達成！

以上が、2019年にわれわれが敢行した雨宮さんへの探検の一部始終である。その最後に、雨宮さんは力強く、こう言っていた。

「これからは、具体的なモノへの実用化を進めていきたいのと、やはり可視光に対しても赤外線のように、99・9％の吸収率をめざしていきたいですね」

それから4年、この朗報をみなさんにお届けできることを探検隊としても喜びたい。2023年1月、雨宮さんらが開発した暗黒シートの光吸収率は、ついに99・98％以上を達成した。もはや世界一の光吸収率といってよく、その黒さは、レーザーポインターの光を当てても消えて見えなくなるレベルだという。

「明るい場所でも沈む圧倒的な黒さを実現でき、背景の映り込みを防止できるため、視覚表現にもこれまでにない高いコントラストを提供できるはずです」

雨宮さんは声を弾ませて報告してくれた。ところで、その成果を伝えるプレスリリースには、少しにやりとしてしまった。光吸収率99・98％以上の暗黒シートは「究極を上回る黒さ」という意味で「至高の暗黒シート」と名づけたという。

「『究極』は良いほうも悪いほうもありえる言葉ですが、『至高』は良いほうにしかありえないので、究極をも上回ると考えました」

しかし「究極」と「至高」といえば、自然と思い出されるのは、あの人気グルメ漫画だ。

「ちなみに私は、海原雄山先生は嫌いではないです」

と、お茶目にいう雨宮さん。その後、猫を飼いはじめたがもちろん黒猫で、名前は暗黒にちなんで「あんこ」。光吸収率への挑戦は一区切りついたが、次は実用化というターゲットに向けて、雨宮さんはこれからも爽やかに中二病をこじらせていきそうだ。

探検時のPROFILE

雨宮 邦招
あめみや・くにあき

計量標準総合センター　物理計測標準研究部門
応用光計測研究グループ　研究グループ長

産総研に入所以来、光測定器の国家標準開発・供給に従事しています。光をすべてとらえて検知したり、よけいな光をできるだけ防いだりするために必要な黒い材料に魅せられ、ついに「暗黒シート」の開発に成功しました。

今後は、読者のみなさんの身近なところでも暗黒シートが実用化されるよう、研究を進めていきます。

第8章

クルマが「感情」を読む！

「自動運転」の驚くべき未来図

● 感情――この不合理なるもの

私たちは製品やサービスを、価格や性能だけで合理的に選択しているわけではない。たとえば電化製品にしても、安くて性能がよい商品が「なんか気に入らない」と感じて、あえて高価で性能の低いものを選ぶことは誰にでもあるだろう。どう考えてもお買い得なのに、それを勧める店員の態度が気に入らず、「絶対こいつからは買うものか」と内心で毒づきながら店を出てしまうことだってある。感情に振り回されて不合理な判断をするのは愚かなことかもしれないが、まあ、仕方がない。それも含めて人間だもの。

さて、そういう人間を相手にしている以上、製品やサービスを提供する側は当然、ユーザーにできるだけ「快」を感じてもらい、「不快」をなくしたい、と誰でも当たり前にそう考える。だが、人の心は目に見えないし、何が心地よいかは十人十色なので厄介だ。たとえば新製品のパッケージの色を会議で決めるにしても、出席者はそれぞれ感性が違うので、どの色が多くの人の心をとらえるのかという「正解」はわからない。結局は「勘」に頼らざるを得ないのである。

さて、前置きが長くなったが、そうした不合理な感情を科学の力で「見える化」しようとしている人が産総研にいると聞いて、われわれ探検隊は出動した。向かったのは、自動車ヒューマンファクター研究センター。そこに、「快感情を強め不快感情を弱める技術」を研究している木村健太さんがいる。

かぎりなくサイエンスに近い心理学

「私は文学部出身なので、なんで産総研で仕事を？　とよく聞かれます。たしかに、ここでは珍しいんですよね、文学部の心理学科出身者なんて」

開口一番にそうおっしゃるぐらいだから、文学部の心理学科とは人間の怒りや悲しみなどをブンガク的に語るところだと勘違いしている人も多いのかもしれないが、実験によって得たデータに基づいて人間を研究する心理学は、じつは文学部のなかでもっとも理系っぽい分野だ。

「心理は物理量に落とし込むことはできないので、どこまでやっても人文社会科学系の学問なんだろうとは思いますが、アプローチはかぎりなくサイエンスに近づけようとしています」

――これまでは、どのような研究をされてきたのですか？

「脳波、心拍、ホルモン、血圧などの生理的な指標を計測し、怒りや喜びといった感情を定量的に評価することで『見える化』する研究をやってきました。物を使うのは人間ですから、心理まで含めた技術を考えるのが、工学だと思っています。以前は産総研の身体適応支援工学グループという部署でそれをやっていたのですが、『その研究、自動車に使えるんじゃないの？』という話になって、いまの研究センターに移ってきたんです」

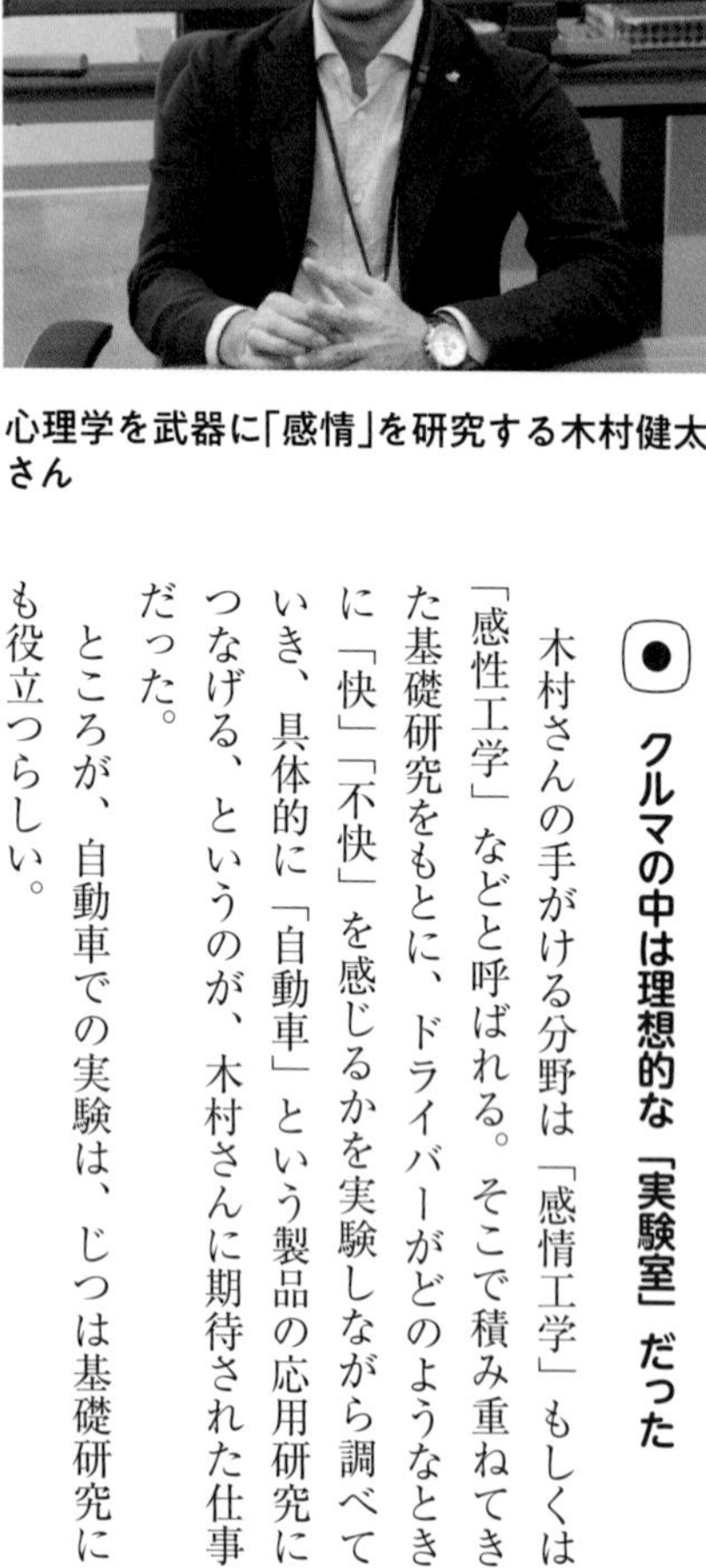
心理学を武器に「感情」を研究する木村健太さん

クルマの中は理想的な「実験室」だった

木村さんの手がける分野は「感情工学」もしくは「感性工学」などと呼ばれる。そこで積み重ねてきた基礎研究をもとに、ドライバーがどのようなときに「快」「不快」を感じるかを実験しながら調べていき、具体的に「自動車」という製品の応用研究につなげる、というのが、木村さんに期待された仕事だった。

ところが、自動車での実験は、じつは基礎研究にも役立つらしい。

「心理学では、狭い実験室に閉じ込めた被験者に、喜怒哀楽の感情を喚起する映像を見せるなどの刺激を与えて、その反応を見ることが多いんです。でも実験室は非日常的な場所なので、被験者の反応が日常生活と同じになるとはかぎらない。そこへいくと自動車の中は、行動が限定されていて、決まった動作がほとんどという点では実験室に近い一方で、非日常でもありません。いわば、半分実験室、半分日常です。だから実験

図 8-1 **木村さんにとって自動車はさまざまなデータを提供してくれる貴重な「実験室」だ**

的に統制された環境で、ドライバーの日常的な心理状態のデータが取れるんです。正直、ここに異動するまでは自動車にさほど興味はなかったんですが、基礎研究にも使えるよいデータが取れるので、やりはじめたらすごく面白くなりました」

木村さんが「実験室」としている自動車を見せていただいた（図8－1）。研究所の廊下を進んで、そのなんの変哲もないある部屋のドアを開けると、その真ん中にドーンと乗用車が鎮座していた。なかなかの「非日常感」だ。被験者はここでドライビング・シミュレーターを見ながら自動車を「運転」し、さまざまな状況で「感情」がどのように変化するか、データを取られていくわけである。

ただし、より日常に近いデータを取るためには、やはり公道に出ての実走実験も欠かせないらしい。「被験者に実際に運転してもらって、たとえば産総研のあるつくばから常磐道を通って、都内まで往復するなどの実験をやっています。車内にたくさん機材を積んでいるし、ドライバーは脳波を計測する電極のついた白いキャップを被っているしで、事情を知らない人にはかなり怪しく見えるみたいです（図8－2）。お巡りさんに『大丈夫ですか？』と車を停められたこともありました（笑）。なにか重症の患者が運転していると思われたかもしれません。実験中はトイレに行くときもキャップを脱げないので、パーキングでも周囲の人にギョッとされます」

図 8-2 公道での実走実験の記録写真
頭に白いキャップをつけて運転する被験者が、かなりアヤシい

●「居眠り運転」の防止から「怒り」の抑制まで

木村さんがとくに力を入れているのは、目の動きや心拍数の計測だ。目の動きは、ビデオカメ

ラで撮影する。心拍数は、ステアリングに仕込んだ心電計で手指の脈拍を測る。ほかに、非接触で計測できる機械の開発も進んでいるという。

「脳波の計測器は、市販の自動車に搭載することはできませんよね。でも、ビデオカメラや心電計ならば、それが可能です。たとえば、ドライバーの緊張感や注意力などをモニターして、危険が予測されると警告を発するなどの新しい事故防止機能を考えることができるかもしれません」

なるほど、そういわれると「感情の見える化」は、自動車の安全性向上に役立ちそうだ。ほかにも居眠り運転防止機能や、近年、大きな問題になっている「あおり運転」を抑制する機能も、渋滞中のイライラやマナーの悪いクルマへの怒りを制御することで可能になるかもしれない。

「これからは自動運転がますます普及していきます。自動運転車に新しい機能を実装させることで、事故やトラブルを未然に防げるかもしれません。

いまはドライバーの心理状態に対応して車のほうを制御するしかありませんが、たとえば怒っている人に、そのときの自分の表情を写真に撮って見せると、怒りが抑制されるかもしれません。運転している人にそんなものを見せるのは危険かもしれませんが、自動運転ならそれも可能でしょう。なにか問題が発生したときには強制的に路肩に停めるなどしてもいいかもしれない。そういう工夫はいろいろ考えられると思います」

● 人間はどんなときに運転を「楽しい」と感じるのか

だが、自動車メーカーが知りたいのは、怒りやイライラといったネガティブな感情だけではないらしい。というよりも、クルマをつくって売っている以上、まず知りたいのは、乗り心地のよいクルマとは何か、人間はどんなときに運転が「楽しい」と感じるか、ということのようだ。

「研究によって、運転が楽しいと感じるためにとくに大事なのは、心理学でいう『行為の主体感』だということがわかってきました。つまり、自分が主体的にこのクルマを操っているという感覚です。これがないと、運転していても楽しくないんですね。

たとえば、アクセルやブレーキなどが自分の直感とダイレクトにつながって動かないと、その主体感が損なわれる。加速や減速のタイミングが、自分の感覚より早すぎても遅すぎても、自分が運転している感じがしないんです」

昔の、ハンドルをぐるぐる回して開閉したウインドウがそうだったように、アナログな機械には「自分で動かしている」という実感があった。しかし、コンピュータで制御されるデジタルな機械は、スイッチを入れれば勝手に動くので、そういう「手応え」がない。

それでも、スイッチを押すとピピッと音が鳴ったり、ライトが光ったりするなどの反応があると、なんとなく「主体感」を持つことができる。

「自分がそれを『コントロールできている』と感じることは、人間にとって本質的な『快』なんだと思います。いま、テクノロジーはその『手応え』も用意しようとしているわけですが、ユーザーがそれに気づいてしまうと、主体感が高まらないことも研究からわかっています。

だからこれからは、機械がすべてやっていると気づかれないように『さりげなくアシスト』することが、大事なテーマになってくると考えています。このことは自動車にかぎらず、バーチャル・リアリティの研究でも重視されています。その意味でも、これから工学の分野では心理学の出番が多くなると思いますよ」

●「自動運転」なのに「主体感」を感じさせるテクノロジー

面白いのは、その「主体感」が、クルマの自動運転でも求められることだ。しかし、ユーザーが何もしなくても目的地まで連れていってくれるのが自動運転だから、いわば「全面的アシスト」である。全然さりげなくない。だったら、バスやタクシーのように主体感ゼロの「おまかせ」でいいような気がしてしまうのだが、そういうものではないらしい。

「自動運転の実用化に向け、国も自動車メーカーも積極的に取り組んでいますので、産総研でも自動車メーカーとのあいだで自動運転の共同研究が増えています。そこでは研究の大きな方向性が二つある。一つは、自動運転を乗り心地のよいものにすること。もう一つは、自動運転でも主体感のあるクルマをつくることです。バスやタクシーと違ってユーザーが購入する製品なので、メーカーとしては愛着を持ってもらいたい。そのためには主体感がほしい。自分で操作はしなくても、なんらかの形で自ら運転しているような感覚です。そこで大事になってくるのが、ユーザーに合わせてクルマをパーソナライズする技術です」

ドライバーには、ブレーキのタイミングや車間距離のとりかた、カーブを曲がるときの角度など、それぞれ自分にとって快適な走りかたがある。助手席に座ると他人の運転が危なっかしく感じたりするのも、そのためだ。バスやタクシーではそれも大して気にならないが、自動運転の運転席に座れば、たしかに「うわわ、そんなに車間をつめるなよ」「ブレーキ遅すぎるぞ」などと文句をつけたくなりそうである。

「感情センサーを用いて、運転中のユーザーの不安や恐怖感などを測定し、それを自動運転の設定にフィードバックすれば、そのユーザーにとって快適な車間距離やカーブの曲がりかたなどを自動車が学習するでしょう。パソコンがユーザーの多用する漢字変換を覚えていくのと同じように、乗れば乗るほど自分好みのクルマになっていくわけです。かつての『たまごっち』がそうだったように、自分にフィットするようにクルマを育てていくことも、愛着を持つ要因になるのではないでしょうか」

――でもそうなると、なかなか買い替えられなくなってしまいそうですが……。

「新車に買い替えるときは、機種変更したスマホにアドレス帳などを移行するのと同じように、ユーザーのデータ履歴を移植すればいい。まだ妄想レベルの話ですが、自動運転車はそういう方向に進歩していくのかもしれません。単なる移動手段にとどまらない楽しさがないと、買ってもらえませんから」

自動運転というテクノロジーの進歩に、心理学の果たす役割は大きそうだ。

●「測定器」の進歩が広げた心理学の可能性

その一方では、「測定」についてのテクノロジーの進歩が、心理学の可能性を広げている面もあるようだ。

「センサーが小型化して、どこでも測定できるようになったのが大きいですね。2010年代になる頃までは心電計も巨大で私の背丈近くあったので、車載して公道で実験をおこなうことなどできませんでした。ステアリングに仕込めるぐらいのサイズになって（図8－3）、研究が大きく加速しました。

いまは自動車にかぎらず、いろいろな場面で人間の感情を測れるので、研究者としては楽しくてしょうがないですよ。自分の子どもが生まれたときも、いい測定対象ができたとうれしくて、測りまくってました（笑）」

図 8-3 **コンパクトになった現在の測定器**
ハンドルの左にモニター、左座席に本体が見える

木村さんは産総研の人間情報研究部門というセクションの仕事を兼務して、そちらでは家電製品の使い比べ実験もしている。生理的な指標と被験者のコメントを合わせて分析して、何が「快」で何が「不快」なのかを分析する仕事だという。

「ときには、不思議なことに、生理的な指標では明らかに『快適』を示しているのに、本人の主観では『使いにくい』と感じている、ということもあるんです。そういうズレを見ると、人間の心はわからないものだと思いますね。だから面白いんですけど。心理学をやっていると『人の心がなんでもわかるんですよね』とよく言われます。でも、全然そんなことありません。むしろ私は、人の気持ちがわからないから、心理学をやってるんだと思っています。ずいぶん失恋もしてきましたし」

物書きの感情にも興味があるという木村さんには

「どんな気持ちで原稿を書くんですか？」と逆質問もされたが、締め切りが迫るにつれて不安や恐怖感が高まっていく様子をモニターされるのは、ちょっと勘弁してほしいと思いました。

●感情が「見える化」されたとき人類は幸福になるのか

しかしそう考えると、測定器が進歩して、自分の心理状態がすべて「丸見え」になってしまうのは、いささか怖いような気もする。

「私も大学の授業では、学生にその話をします。仮に将来すべての感情が『見える化』されたとき、はたしてそれによって、人類はみんなハッピーになるのだろうか、と。

自動車のような機械が、怒りや不安を制御することで安全性や快感情が高まるのは、もちろん、よいことです。でも、それこそ恋心や思想信条などは、究極の個人情報ですからね。技術的にその読み取りが可能になったときに、それをどこまで社会として受け入れるのか。今後はそういうことも、議論していくべき重要なテーマになると思います」

とはいえ、「快感情を高め不快感情を弱める技術」の発展は、人類に多くの恩恵をもたらすだろう。「あおり運転」のような感情的トラブルが減らせるなら、極端な話、犯罪やヘイトスピーチ、ひいては戦争のリスクだって軽減できるかもしれない。

いまの社会で心理学の果たす役割は、じつに大きい。そんなことを強く感じた探検であった。

探検時のPROFILE

木村 健太

きむら・けんた

自動車ヒューマンファクター研究センター
生理機能研究チーム
主任研究員

生理機能研究チームは、生理学や心理学の専門家で構成されており、体のしくみと現象（生理機能）を手がかりにして、人と自動車の関わりかたを研究しています。

たとえば自動運転支援システムで求められる人の心身状態や、自動車を運転する楽しさについて、心循環機能、脳波、筋電図、バイオマーカーなどから評価する研究をしています。

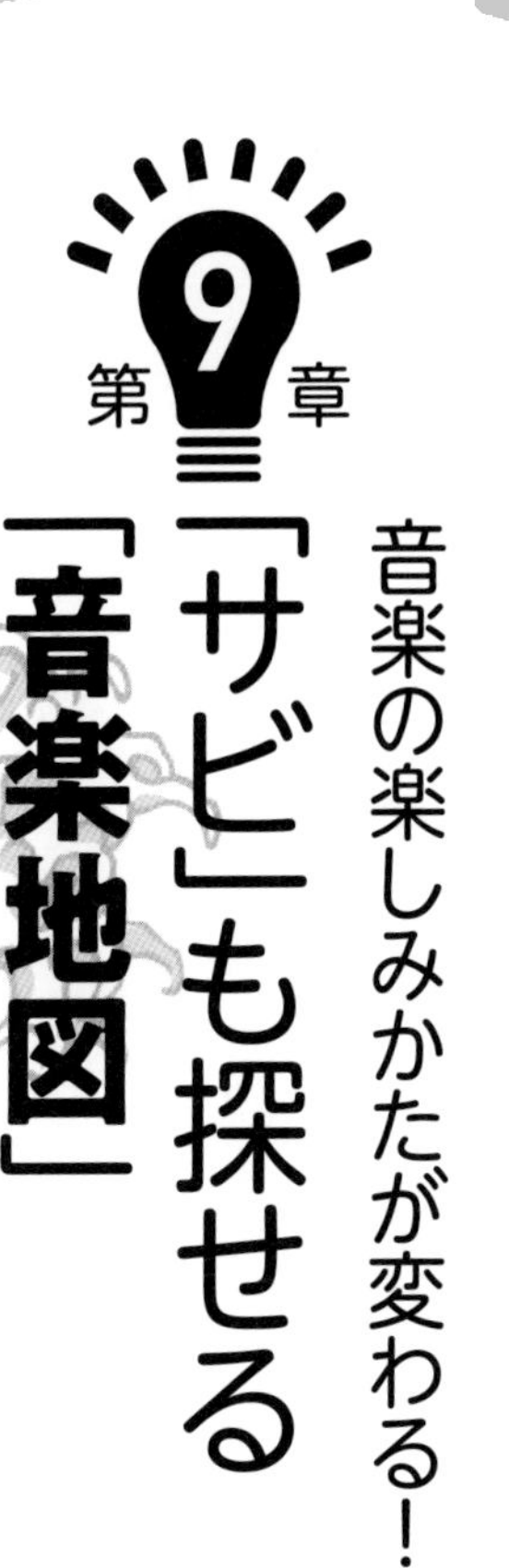

第9章

音楽の楽しみかたが変わる！「サビ」も探せる「音楽地図」

● 音楽を解析して「楽しみかた」を拡張する

音楽を楽しむ、とはどういうことだろうか。

「なに当たり前のこと言ってるの？　ただ聴いて、楽しめばいいじゃない」——そんな声が聞こえてきそうだ。たしかに、「音楽を聴く」ことはごく当たり前の行為のように思えるし、科学や技術と関わりがあるとは想像しがたい。

だが、その当たり前の行為に、テクノロジーの光を当て続けている研究者たちが産総研にいると聞いて、探検隊は行動を起こすことにした。なにしろブルーバックスでは、シリーズ専用のジングルを製作するなど、最近は音楽や動画に興味津々なのだ。

もしかして、われわれも楽しく使える技術かも！　……なんて、少しよこしまな思いを抱きつつ訪ねた、情報技術研究部門首席研究員の後藤真孝さんも、そんな研究者の一人。後藤さんが手がけているのは「音楽情報処理」と呼ばれる技術だ。いったいどんな技術なのか。

「簡単にいえば、音楽の〝中身〟を自動解析して、音楽の未来を切り拓く技術です」（後藤さん）

といっても、なかなかピンとこないかもしれない。音楽の中身と聞くと、五線譜に並んだ音符や歌詞、演奏技術といった、〝音楽そのもの〟に関することを思い浮かべる人が多そうだが、それらとはちょっと違うからだ。

技術を用いて音楽の中身を解析するとは、いったいどういうことなのか？　それを理解するには、後藤さんが学生時代から積み上げてきた「音楽情報処理」の研究開発の歴史を振り返るのが、一番の近道になりそうだ。

後藤さんが音楽情報処理を手がけはじめたのは1992年、彼が大学4年生のときだった。その後、大学院の博士課程まで研究課題として選んだのが、「ビート解析」だった。

ビートとは、規則正しいリズムのこと。「ビートの効いた曲」といえば、誰でもどんな曲のことか具体的なイメージがわくだろうし、実際にそういう曲が流れてくれれば、手拍子を合わせたり、体を動かしたりしてリズムをとることができるだろう。それは、とても自然な音楽の楽しみかたの一つだ。

では、それをコンピュータにやらせてみたら？

音楽の未来を切り拓こうとする後藤真孝さん

●コンピュータはビートが苦手

じつは、コンピュータにとって、ビートに合わせてなんらかの行動を起こすのは簡単なことではない。演奏される音楽は、音波という物理的な「波」として伝わってくる。波だから、山あり谷ありの波長があって、ある振動数で振動しているわけだが、その波形のなかから「ビートに関する情報」だけを抜き出すには、どうしたらいいだろうか。

ビートは、音の高低でも大きさでもない。すなわち、音がもつ物理的な性質ではない。したがって、人間にとっては当たり前の存在でも、音波の波形からコンピュータが抽出するには、多彩な信号処理を積み重ねる必要がある。

後藤さんが音楽の解析に取り組みはじめた1992年はまだ、デジタル音楽をコンピュータに取り込むことすら難しく、MP3も登場していなかった頃だ。当時のコンピュータはまだまだ非力で、音楽の信号処理にも時間がかかった。条件は厳しかったが、後藤さんは、楽器音やドラム音がいつ鳴っているのか、ハーモニーがいつ変わるのかを解析して、「ビート（拍）」だけでなく「小節」の先頭の位置まで自動抽出するシステムを開発することに成功した。

後藤さんはさらに、こうして自動抽出したビート情報を、ある興味深い方法で可視化することに成功する。当時、人気と期待が集まりつつあったCGアニメーションを活用して、音楽から抜き出したビートに合わせ、自動的にダンスを生成してみせたのだ（180ページの図9-1）。「CGアニメーションに対する需要が高まってきていた一方、当時は制作時間とコストが膨大で、とくに音楽に合わせて動かすのは大変でした。音楽から抽出したビート情報に合わせて自動的にＣＧキャラクターのダンスを生成できる技術によって、この問題を一部、克服できるのではないかと考えました」

開発の理由を後藤さんはそう振り返る。このことは、音楽の解析によるビートの抽出、すなわち音楽情報処理が、新たな価値を生み出しうることを示していた。それは、昨今のヒット曲によるダンス振り付けブームが示しているように、私たち人間がビートを感じて手拍子やダンスをすることで、音楽に新しい価値が付加されることとよく似た関係をもっている。

●ビートの発見から「サビの自動発見」へ

後藤さんはその後も音楽を解析する研究に取り組み続け、２００２〜２００３年には、楽曲のなかから「サビ」の部分を自動的に見つける技術を実現した。

気に入った音楽を人に伝えるとき、私たちは「サビ」だけを口ずさむことがある。その楽曲が一番盛り上がる、〝もっともおいしい〟部分がサビであり、サビのよしあしが楽曲の評価軸の一つであるのは間違いない。でも、コンピュータがサビを見つけるのって、難しいのだろうか？

「音が大きかったりメロディが高かったりする部分が『サビ』のように思えるかもしれません。しかし実際には、非常に多彩なパターンがあります」

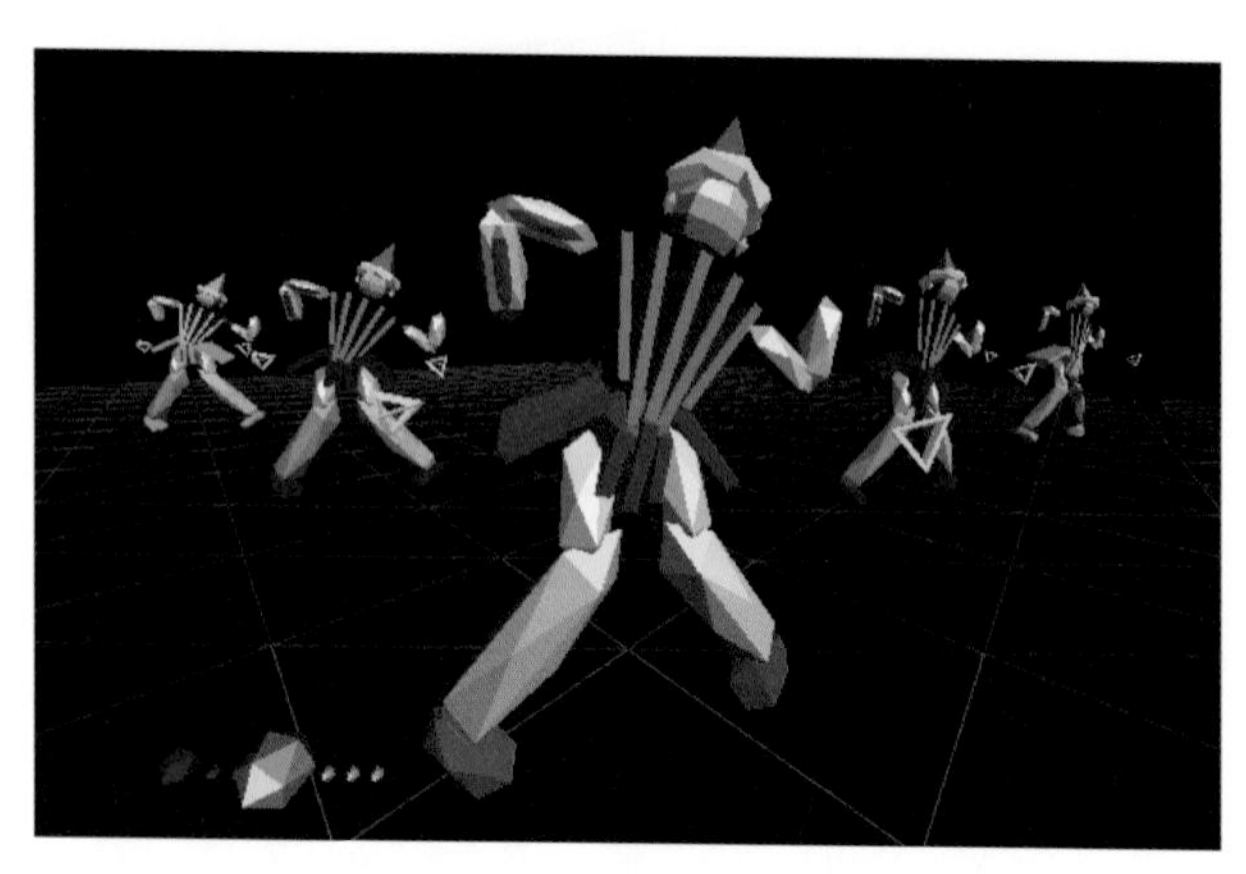

図 9-1 ビートを解析して自動的に踊るCGアニメーション

後藤さんによれば、ビートと同様、サビもまた「人間にはすぐにわかるが、コンピュータに判断させるのは容易ではない」要素なのだという。これもまた、音波が含む物理的な性質ではないため、解析が難しいからだ。

一般にサビといえば、「楽曲の中ほどにある盛り上がりの部分で、曲全体で見ると同じモチーフを何度か繰り返すもの」という印象がある。だが、実際に個々の曲を見てみると、いきなりサビから始まる「頭サビ」の曲もあるし、同じサビのように見えて、曲の進行に合わせて細かく転調させている曲もある。なによりサビは、その曲を聴けば誰もがすぐに「ここだ」とわかるものなのに、言葉や作曲手法などには、明確な「サビ」の定義はない。後藤さんは言う。

「まず、楽曲のなかのさまざまな繰り返し区間を転

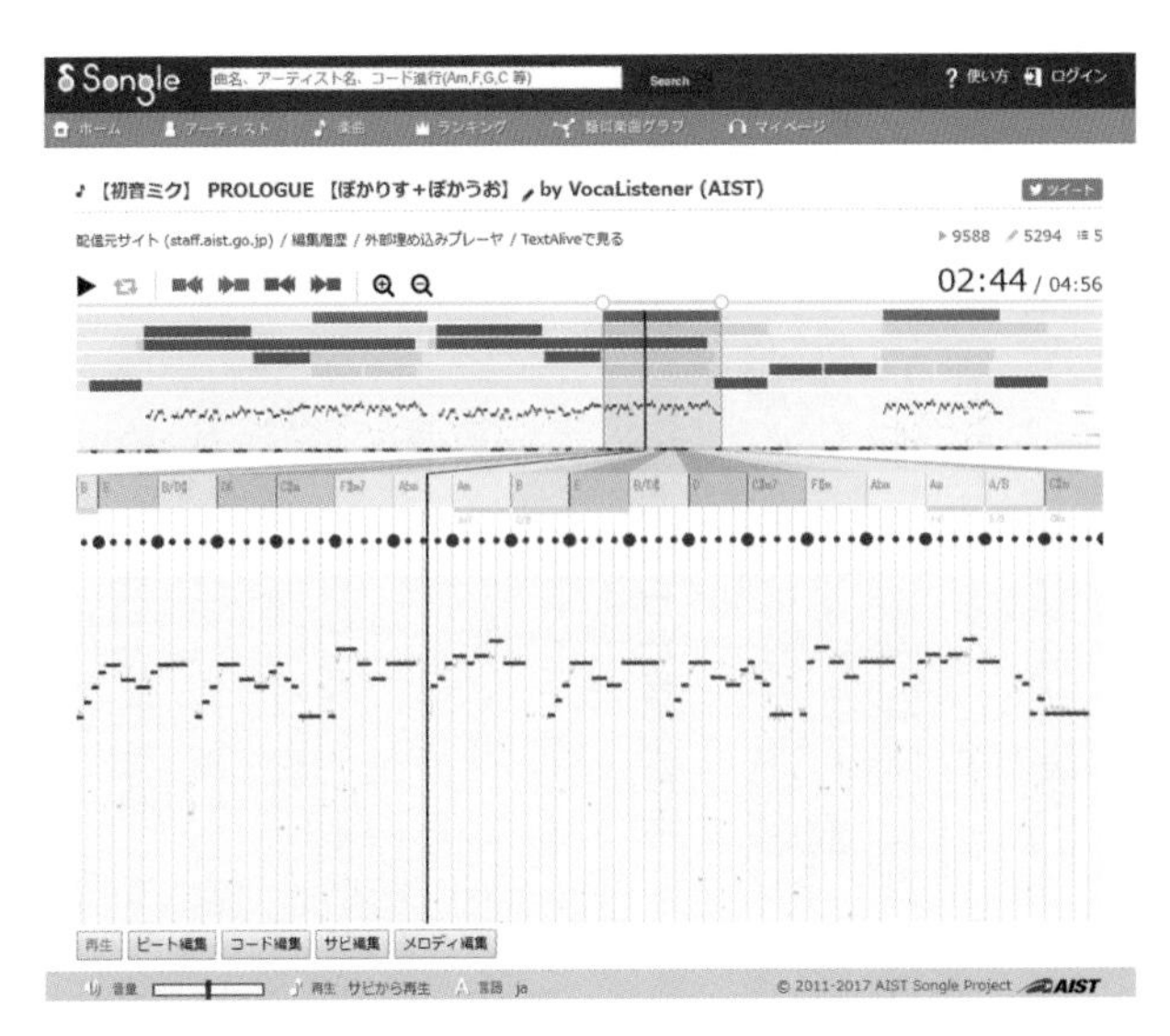

図 9-2　**能動的音楽鑑賞サービス「Songle」の「音楽地図」**
紹介動画: https://youtu.be/1V2HRxKQ1fs?t=266

調なども考慮しながら見つけ出し、次に、そのなかでもっともサビらしい区間を自動的に選ぶことで、サビを見つけることができるんです」

学生時代に音楽情報処理に取り組みはじめて以来、30年以上が経過して、後藤さんはさまざまな研究者と共同で幅広い研究に取り組みながら、さらに先に進んでいる。

たとえば、2012年8月に発表された「Songle（ソングル）」（https://songle.jp）がそれだ。Songleはウェブ上で誰もが自由に利用できるよう公開されているので、そちらを見ながらこの章を読んでいただくと、より理解が深まるだろう。

「Songleでは、音楽情報処理によって楽曲の中身を解析したさまざまな結果を、『音楽地図』として視覚的に確かめながら、音楽を聴いて楽しむことができます（図9－2）」

音楽地図？　初耳である。それはいったい……？

「音楽地図を構成する要素は主に4つ。⑴ビート構造、⑵楽曲構造、⑶コード進行、⑷メロディーラインです。Songleでは、さまざまな楽曲に対して、この4つの要素を表示できます。楽曲の波形を人間が眺めても、いつ何が起きるのかわかりにくいですが、これら4要素の解析結果を音楽地図として可視化することで、全体構造が把握しやすくなるのです。楽曲全体を『俯瞰する』ことで、サビから聴いたり、気になるところから聴いたりすることが簡単になります」

●じつは「不自由」だった音楽再生

曲の冒頭から順に聴かずとも、音楽地図を使ってサビを簡単に聴けるようになると、人に好きな曲を伝えるのはじつに容易になる。短い時間で音楽を楽しみたいときや、好きな部分だけを繰り返し聴きたいときにも、音楽地図から得た情報を使うことができる。

「音楽の好きな部分だけを楽しむなんて、前からできたでしょ」――そんな反論が聞こえてきそうだが、いやいや、じつはそんなことはまったくなかったのだ。

たしかに、いまの音楽プレイヤーには、好きな部分へジャンプする「シークバー」がある。しかし、ある楽曲の「好きな部分」が〝どこ〟なのか、みなさんは正確に記憶しているだろうか？だいたいこのあたり、という大まかな印象はあっても、具体的に何秒の時点で好きな部分がくるかまで覚えているわけではないはずだ。

まして、よく知っている曲ならまだしも、「まだ聴いたことがない曲」や「1〜2回耳にしただけの、あまり知らない曲」から、「好きな部分」を探し出したり、「おいしいところだけ」をちょっと試しに聴いてみたりする聴きかたは不可能に近い。だからこそ、音楽の「目利き」や、特別な技能と知識をもったＤＪなどの職種が生まれたのだ。

音楽がデジタル化され、任意の場所から再生できる「技術」は確立されているのに、実際に「好きな部分」「聴きたい部分」だけを抽出する聴きかたは難しかった。

「音楽は、もっと能動的に楽しめるはず――。そのためには、楽曲解析を可能にする音楽情報処理の技術が必要なんです」

後藤さんはそう力説する。音楽を楽しむには、「一定の時間」が必ず必要だ。その時間を操作し、好きなところをシンプルに聴く、あるいは膨大な曲のサビだけを聴いて好みの曲を発見する技術が導入されることで、音楽の聴きかたに初めて、時間軸方向での大きな自由度が生まれる。

ある楽曲から「サビ」を自動的に見つけるのは、ビデオに「チャプター」が生まれたことに等しい変化だ。映画を見るときに好きな場面だけを見たり、録画した番組を見るさいに不要な部分をスキップしたりするのは、いまや当たり前の行為になっている。映像に関しては、視聴がそれだけ「能動化」したわけだ。これと同じことが、音楽という時間的にきわめて短い尺のなかでも可能になり、聴きかたが能動化したのが後藤さんの研究の画期的なところなのである。

従来は、ＣＤにしろ音楽配信にしろ、ＹｏｕＴｕｂｅのような動画にしろ、個々の楽曲内にはチャプターが存在せず、あくまで曲単位でのジャンプ／スキップしか操作できなかった。「サビだけを聴かせたい」というニーズがないわけではなかったが、ごくニッチな利用にとどまっていたのが実情だ。理由は、音楽はあまりに数が多すぎるため、すべての曲に手作業でチャプターをつけるのが不可能に近いからだ。

Songleの強みは、この点にある。ソフトウエアの力によって自動的に楽曲を解析し、全体構造を把握したうえでサビを見つけ出す。すべては自動であるため、どれだけ楽曲が増えようとも手間は大きくならない。

後藤さんが「技術が音楽の楽しみかたを能動的にする」と主張する理由は、まさにここにある。技術のアシストがあってはじめて、「音楽に内在している情報」を取り出すことに成功したのである。

では、音楽の楽しみかたが能動化することで、具体的にはどのような変化を体験できるのだろうか。２０１７年に後藤さんたちが発表した「Songle Sync（ソングル シンク）」（https://tutorial.songle.jp/sync）

を例に紹介しよう。

● 花開く「音楽の能動的な楽しみ」

音楽の楽しみかたの一つに、「ライブ」がある。Songle Syncは、そんなライブコンサートをより能動的に楽しめるように変えられるサービスだ。ネットを使う機器は、従来の音楽機器に比べて自由度こそ高いものの、意外なほど「同時に動く」のが苦手だ。

音楽では、曲に合わせてぴったり表示を出したり、音を出したりすること、すなわち「完全同期」することがきわめて重要だ。とくにライブ会場で、音楽とズレて不自然な演出があると、一体感が生み出せなくなる。

問題は、ネットが関わった瞬間に、「同時」に思えているものが、じつは秒単位でズレているという現象が避けられないことだ。実際に、通常の放送とネット配信では、同じ生放送でも一定程度のズレが生じている。音楽においては、秒どころか数百ミリ秒単位のズレすら致命的になる。それほどわずかな時間でもズレてしまったら一体感は損なわれ、もはや気持ちのよい音楽体験にはなりえないからだ。

この点を解消したのがSongle Syncで、ウェブにアクセス可能な機器なら、どんなものでも「バチピタ」でタイミングを合わせて動かすことができる。ＯＳも機器の種類も問わない。それによって、たとえばライブコンサート会場で、曲のタイミングに合わせて来場者が手にもったスマホに主催者側の演出に合わせたアニメーションを表示する、あるいは、多数のロボットが同時に踊る、などといったことが簡単に実現できるのだ。

実際にライブコンサートではSongle Syncがどのように使われたのか。

２０１７年9月2日に幕張メッセで開催されたバーチャル・シンガーの初音ミク関連イベント「マジカルミライ２０１７」では、ＤＪステージへの来場者にポストカードが配られ、そこに記載された2次元コードにスマホからアクセスすることで、ステージの楽曲に同期した映像が、来場者のスマホから流れ出した（https://youtu.be/RgIKLsbWrko）。

しかも、数百人もの画面に完全同期して、だ。特別なアプリも機器も必要としない画期的な音楽体験として、大きな話題となった。

Songleの楽曲解析技術とは一見、関係ないものに思えるサービスだが、Songle Syncにとって、Songleの楽曲解析技術こそ必要不可欠だ。楽曲を解析し、そのビートやサビを把握したうえで、それらに合わせてスマホ上で映像を生成しているからだ。いかにもライブパフォーマンスに合わせて映像を出しているように思えるのだが、じつはそうではなく、楽曲を解析した結果から、機器を制御する情報をつくり出しているのである（１８８ページの図9－3）。

● 誰でも手軽にリリックビデオをつくれる

音楽の別の楽しみかたに、「ミュージックビデオ」がある。とくに最近では、「リリックビデオ」と呼ばれる、歌詞が踊るように動くCGアニメーションが流行っている。ただ、その映像は魅力的でも、つくるのは大きな手間がかかり、大変だった。リリックビデオ制作支援サービス「TextAlive（テキストアライブ）」（https://textalive.jp）は、そんなリリックビデオを、誰でも手軽につくれるようにするサービスだ。

「動画を共有するサービスが当たり前のものとなり、楽曲を公開する人は増えました。でも、実際には動画制作に苦労している人たちがたくさんいます。曲をつくることは得意でも、動画をつくるのは苦手、やったことがない、という人が多い。そんな方々のために作成したのがTextAliveです」

TextAliveでは、Songleの楽曲解析によるビートやサビに合わせて映像が変わるだけでなく、歌詞の各文字のタイミングも自動解析して、まさに歌われる瞬間に歌詞が表示される。なので、タイミングのことは気にせず、いろんな演出を好みに応じて選びながら楽しくリリックビデオをつくれる。その様子は https://youtu.be/jwNeVknlzPw?t=195 で見ることができる。このように音楽情報処理は、ミュージシャンにとっても便利なのである。２０２２年からは、https://

図 9-3 大規模音楽連動制御プラットフォーム「Songle Sync」
さまざまなデバイスが、楽曲のリズムに合わせて映像や光をシンクロさせている
紹介動画: https://youtu.be/ewNw34VGOhU

textalive.jp/events のように、いろいろなVR（バーチャル・リアリティ）ライブでの活用も広がっている。

「好きな曲」と出会わせてくれる技術

ネット上に膨大にある楽曲を次々と聴くのも、音楽の楽しみ方の一つである。「Songrium（ソングリウム）」（https://songrium.jp）は、音楽を一段上の視点から俯瞰できるようにして「好きな曲」を見つけやすくしてくれるサービスである。あらゆる楽曲には、それと「よく似た曲」や「影響を受けた曲」が必ず存在する。単独で成立している楽曲はなかなかなく、すべてはほかの曲とのなんらかのつながりのなかにある（https://youtu.be/Cjh9lsDAEI4?t=2977）。

Songriumでは、Songleによる楽曲解析に加え、曲に関するデータをネットから収集して解析するウェブマイニング技術を使うことで、楽曲どうしのつながりや関係をビジュアル化することを狙っている。自分が好きな曲の雰囲気に近い曲を見つけたり、その曲とのつながりから興味をもてそうな楽曲を探し出したり、関係ありと判断された曲どうしを聴き比べたりすることができる。これもまた、新しい角度からの「音楽の能動化」だ。

動画視聴用プレーヤ
再生中の楽曲が選択された理由
コメント入力用のテキストボックス

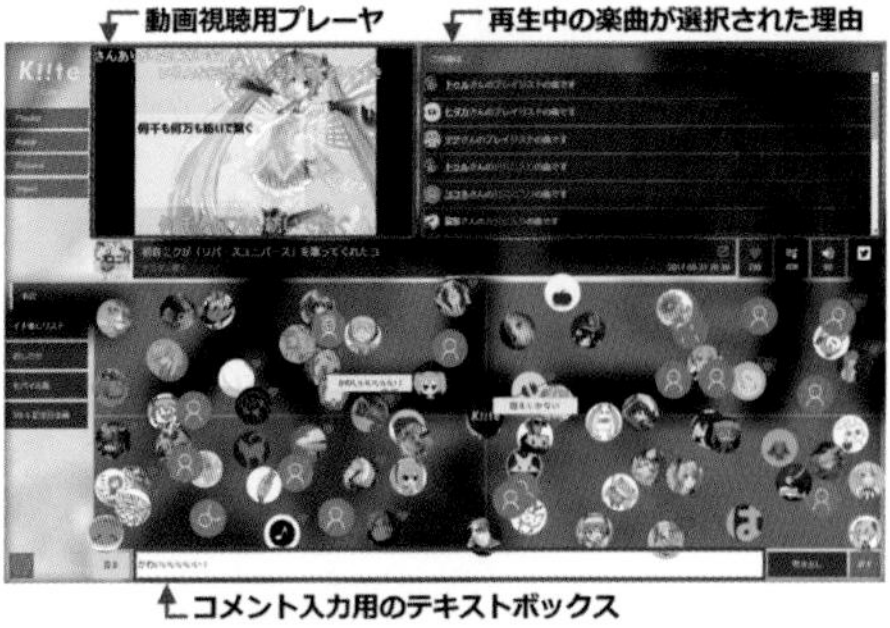

図 9-4 「Kiite Cafe」の画面
多くのアイコンとコメントが表示され、ユーザーが集まって一つの楽曲を同時に楽しんでいる様子がわかる

「音楽の聴き放題サービスも普及しはじめてきましたが、そこでは、いかに音楽を発見してもらうか、各ユーザーが好きなタイプの音楽とどう出会ってもらうか、を実現する技術が重要になります。一般的なサービスではアーティスト名や作曲者などを一覧表示するためのデータベースをつくり、視聴履歴などから『オ

スス メ』の楽曲が再生されることが多いですが、今後、高い精度で楽曲を推薦するには、各楽曲の曲調や雰囲気にまで踏み込んで、Songleのように音楽の中身を解析した結果をデータベース化する必要があります」

　そうした音楽の中身を解析した先進的な「音楽推薦」機能を利用できる音楽発掘サービス「Kiite（キイテ）」（https://kiite.jp）も、２０１９年に後藤さんたちは開発している。好きな楽曲を次々と「お気に入り」リストに追加していくと、それらに曲調が似た楽曲も含めてオススメしてくれる。オススメ結果に対してさらに好き嫌いのマークをつけていくとさらに精度も上がり、まさに、「好きな曲」と出会わせてくれる技術となっている。

　Kiiteにはほかにも、みんなでオンラインで一緒に音楽を聴きながら、同じ曲を同じ瞬間に楽しめる「Kiite Cafe」（https://cafe.kiite.jp）のような先進的な機能もある（前ページの図９－４）。アクセス中のユーザーの好きな楽曲が順番に流れるしくみで、誰かが気に入るとそのユーザアイコンにハートマークが表示される。自分の好きな曲をほかの人たちが気に入る、まさにその瞬間を見られる感動を味わえて、人気のサービスとなっている（紹介動画：https://youtu.be/1V2HRxKQ1fs?t=1262）。

　このように後藤さんは、産総研内の「メディアインタラクション研究グループ」に所属する多くの研究者やエンジニアと共同で、これらさまざまな「音楽情報処理」技術の研究開発を進めている。そして、その成果を積極的にサービスとして公開している。

「基礎技術をつくっただけでは、一般の人々に直接使ってもらうことはできません。そこで、技術で未来を切り拓くために、応用技術としてインタフェースも開発したうえで技術の使われかたを提案したり、サービスとして一般公開することで技術を直接利用可能にしたりする研究開発に挑戦しています。そうすることで、われわれの技術がもつ幅広い可能性を、産業界も含めたさまざまな方々と一緒に考えていくことが可能になるからです」

音楽を能動的に——音楽の中身を解析する技術は、私たちの音楽体験をこれからも大きく変えてくれそうだ。

探検時のPROFILE

後藤真孝

ごとう・まさたか

情報技術研究部門　首席研究員兼
メディアコンテンツ生態系プロジェクトユニット代表

メディアインタラクション研究グループでは、音楽の聴きかた・創りかたの未来を切り拓く技術開発によって、音楽の楽しみかたがより能動的で豊かになることをめざしています。そのなかで、研究開発目的での実証実験の一環として、Songle、Songle Sync、TextAlive、Songrium、Kiiteなどのサービスを技術のショーケースとして提供しています。

「臭い」を除去して資源に！

「プルシアンブルー」のすごい力

● なぜアンモニアを除去しなければならぬのか？

プルシアンブルーといえば、「安全地帯」である。知らない世代のために説明しておくと、「安全地帯」とは玉置浩二がボーカルを務めているバンドの名前で、『プルシアンブルーの肖像』というヒット曲がある。『ワインレッドの心』のほうが有名かもしれないが、レッドだけじゃなくブルーも売れたのだ。

なんでそんな話をしているかというと、そのプルシアンブルーが「高性能アンモニア吸着材」であることが発見されたと耳にしたからだ。なるほど、アンモニアは悪臭の原因だ。体にも悪そうな気がするから、それを吸着してくれれば、そこそこ安全な地帯になりそうだ。

だが、「特定の色が、ある物質を吸着する」と聞いても、ちょっと何のことだかわからない。真っ先に頭に浮かんだ疑問はコレだ。

「ふつうのブルーとかスカイブルーとかブルーバックスの表紙とかじゃダメなの？」

ブルーという色には、なんとなく清潔なイメージがある。そういえば、トイレに置くだけでよいあの芳香洗浄剤も「ブルー」だ。そう思うと、ブルーならばなんでもアンモニアを吸着しても不思議ではない気がしますよね。

しかし、その機能が発見されたのはただのブルーではなく、プルシアンブルーだというのである。なぜ、ほかのブルーではダメなのか？　そんな素朴な疑問にとりつかれた探検隊は、産総研のナノ材料研究部門に出向いた。高橋顕さんと川本徹さんに疑問をぶつけるためだ。

じつはPM2・5の半分をアンモニアが占める

「これが、プルシアンブルーという青色顔料です。18世紀初頭に発見されて、葛飾北斎やゴッホが使ったことでも知られていますよね（197ページの図10-1）。昔の青写真の一部にもプルシアンブルーの技術が使われていました。いまは絵の具として、ふつうに市販されています」

そう言って試料を見せてくれた高橋さんの言葉を聞きながら、隊員たちは大いなる勘違いに気づいた。プルシアンブルーは「色」の名前としか思っていなかったのだが（実際その意味で使うこともあるが）、その特徴的な色を生み出す「顔料」自体の名前でもある。ここで研究対象になっているのは後者なのだ。

ならば、ほかのブルーではダメなのも当然である。注目すべきは「色」ではなく、形や構造を持つ「物質」としてのプルシアンブルーなのだった。

そのプルシアンブルーが、なぜアンモニアを吸着するのか？　という話は後回しにして、そもそも、どうしてアンモニアを吸着したいのか、を聞いた。

悪臭をなくしたいのはわかるが、研究の目的は、じつはそれだけでなかった。その背景には、

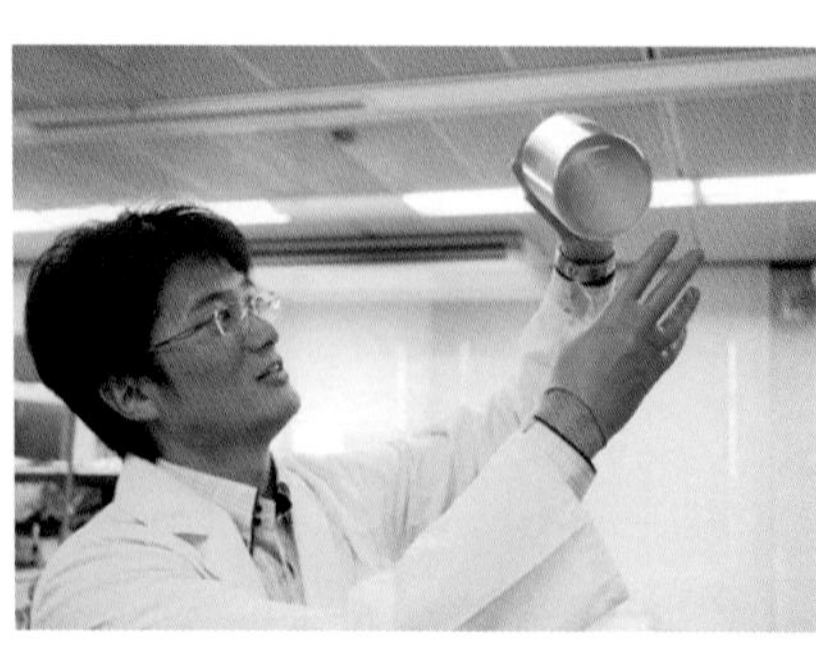

プルシアンブルーと日々、向き合っている
高橋顕さんと川本徹さん

もっと大きな問題が横たわっていたのだ。それは、「窒素循環量の増大」である。アンモニアの化学式は「NH_3」で、Nは窒素。つまり、アンモニアは窒素化合物だ。いま地球上では、その窒素が循環している量の増大によって、さまざまな問題が起きているという（213ページのコラム参照）。

「アンモニアは作物の肥料として欠かせない物質です。人口が増加すれば食糧の生産量が増えるので、アンモニアの使用量もこの50年間で、およそ10倍になりました。そのため、地球環境を循環するアンモニアも増え、それが多くの問題を引き起こしています。大気中では酸性雨や地球温暖化、海では赤潮、青潮、アオコなど富栄養化の原因にもなっているのです」（高橋さん）

図10-1　プルシアンブルーが使われている葛飾北斎の『富嶽三十六景 神奈川沖浪裏』

それに加えて、アンモニアはＰＭ２・５の主要生成物だと考えられている。農業によって排出されるアンモニアが、工業によって排出される窒素酸化物や硫黄酸化物と空気中で結合して、アンモニウム塩（硝酸アンモニウムや硫酸アンモニウムなど）になり、その小さい粒子がＰＭ２・５になるのだ。いまや世界人口の95％はＷＨＯの基準値を超えるＰＭ２・５濃度の環境下で生活しているという。

「群馬県で採取されたＰＭ２・５の組成を調べたところ、半分以上がアンモニウム塩だったという報告もあります（図10－2）。農作物や家畜などの食料生産を増やせば増やすほど、ＰＭ２・５による健康リスクが高まります。アメリカでは、食料輸出によって得られる利益よりも、それに伴うＰＭ２・５による

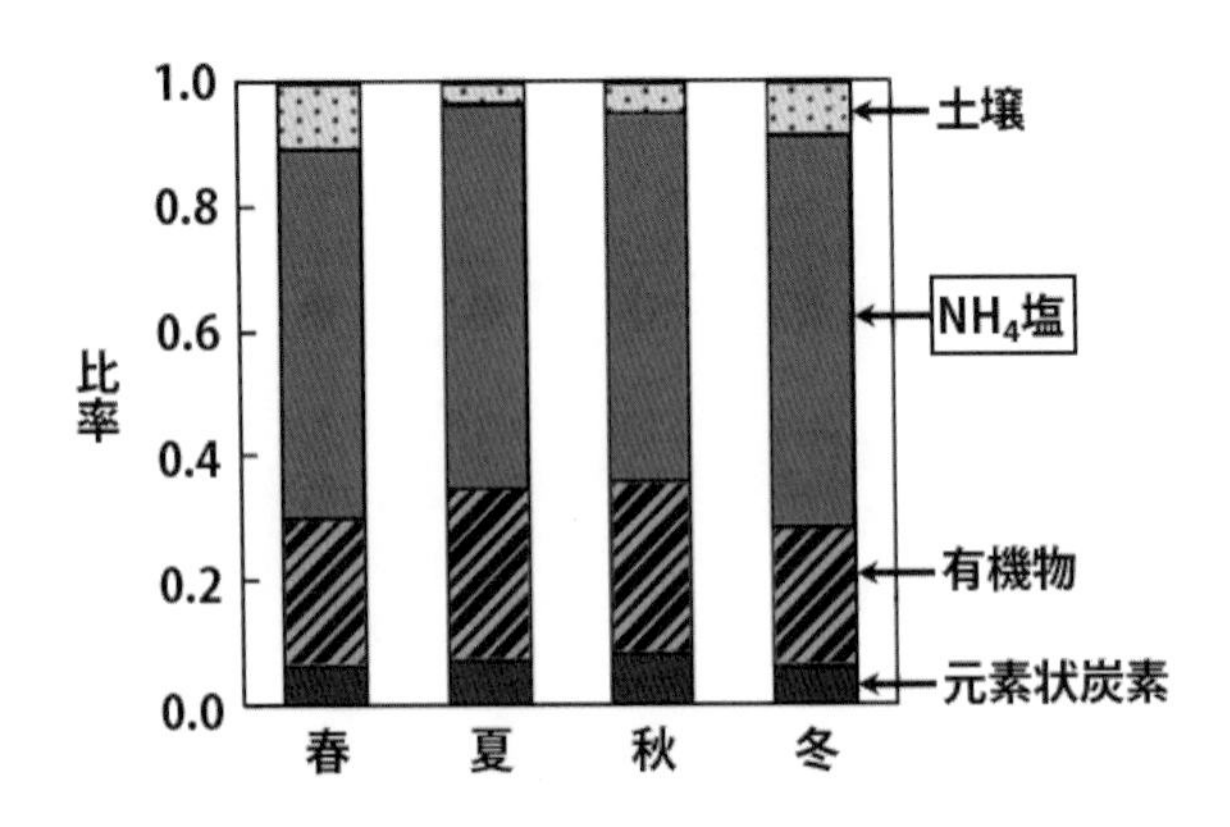

図 10-2 **群馬県で採取されたPM2.5の組成**

年間を通して半分以上をアンモニウム塩（NH_4塩）が占めている（熊谷他、大気環境学会誌2010, 45, p10. より数値以外を微修正して転載）

健康リスクのほうが大きいとする研究結果も発表されています」（高橋さん）

ＥＵでは、ＰＭ２・５を減らすのにもっとも効果的な手段は「アンモニアの削減」であるという考えのもと、２０３０年以降に大気中のアンモニアを19％削減する（２００５年比）という目標が掲げられた。環境問題で「削減すべきもの」といえば二酸化炭素（CO_2）のことしか頭になかったが、窒素削減もまた重要なテーマだったのだ。

「それ以外でも、アンモニア除去技術の必要性は高まってきています。たとえば実用化が進んでいる水素燃料でも、アンモニアの処理が課題の一つです。分解すると水素と窒素になるアンモニアは、エネルギーキャリアになりえます。水素は貯めるのが難しいけど、アンモニアの状態で移送してから現地で分解すれば、水素をつくれますから。その意味ではアンモニアは役に立つのですが、つくった水素の中に不純物としてアンモニアが残ってしまうのは困るんです」（高橋さん）

もちろん、「悪臭」の除去もアンモニアをめぐる大きな課題の一つだ。社会の高齢化が進むとともに、病院や介護施設などのにおいについても、何とかしたいという需要はますます高まっているという。

なるほど、たしかにアンモニアの増加はきわめて今日的な問題だ。隊員たちも猛然とアンモニアを除去したくなってきた。

●大事なのはプルシアンブルーの「穴」

ただし、高橋さんたちの研究グループは、最初からアンモニアの除去をめざしていたわけではないという。プルシアンブルーを使った研究の最初の目的は、意外にも「調光ガラス」の作成だった。

「いま、ボーイング787では、ボタンを押すと暗くなったり透明になったりする窓が実用化されていますよね。あれが調光ガラスです。私たちは2008年に、プルシアンブルーをナノ粒子化して、調光ガラスの色を変化させるための材料として利用しました。当時はまだ私は参加して

いなくて、いまの上司である川本が手がけた研究ですが」（高橋さん）
隣にいる川本さんが「昔の話ですが」と言って微笑んだ。
個性的な青色を生み出す顔料が「色を変化させるための材料」になるというのは不思議だ。色が変化したらブルーじゃないじゃん！　と思ってしまうが、そこが「物質」としてのプルシアン

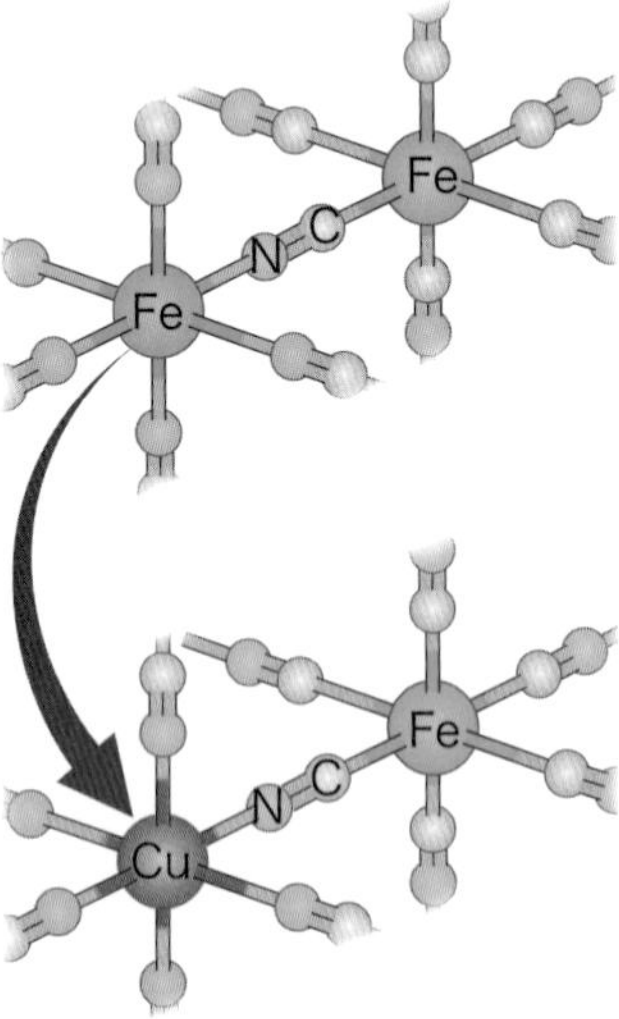

図10-3 プルシアンブルーの基本的な構造
上：鉄(Fe)どうしがシアン(CとN)をはさんでくっついている
下：鉄がほかの金属に置き換わったものがプルシアンブルー類似体。図では左側の鉄が銅(Cu)に置き換わっている

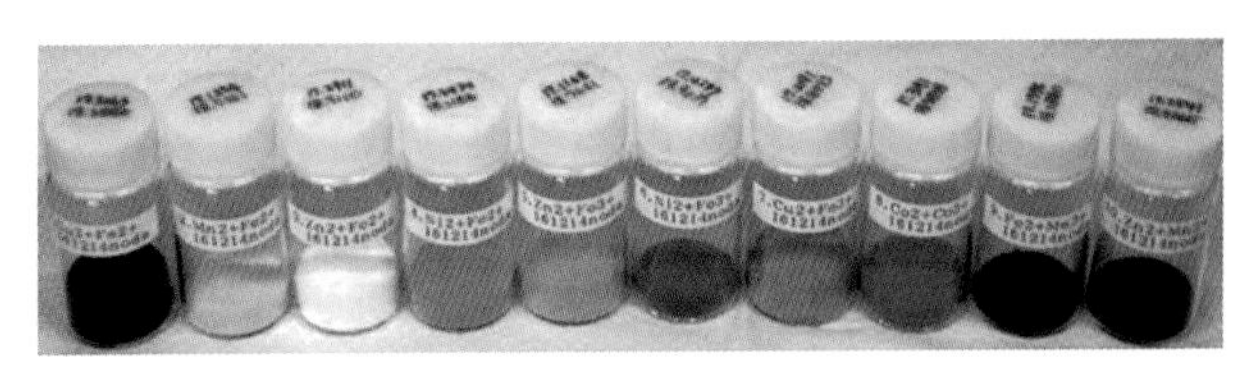

図 10-4　**さまざまなプルシアンブルー類似体**
置き換わる金属によって、色が多彩に変化する

ブルーの面白いところである。
「18世紀初頭に発見されたプルシアンブルーは、たまたま、鉄と鉄がシアン（CとN）をはさんでくっついたものでした（図10－3）。偶然にそれが見つかったので、それまで表現できなかった濃いブルーをつくり出せるようになったわけです。でも、この物質は鉄を別の金属に置き換えると、色が変わるんです。たとえば鉄を銅に置き換えると、赤っぽくなる。ニッケルに置き換えると黄色に、コバルトだとピンクに、亜鉛では白っぽくなります」（高橋さん）
　そうやって鉄を別の金属に置き換えたものを「プルシアンブルー類似体」と呼び、それだけでほぼすべての色をつくれるらしい（図10－4）。だから、調光ガラスの色変化材料にもなるというわけだ。構造さえプルシアンブルー類似体であれば、色はブルーじゃなくてもそう呼ぶのである。
　さて、高橋さんらの研究グループが調光ガラスの次に手がけたのは「セシウムイオン吸着材」の研究だった。きっかけは、2011年の東日本大震災で起きた福島の原発事故で、放射性セシウムの除去が課題になったことだ。プルシアンブルーがセシウムイオンを吸着することは、以前から知られていた。しかし、なぜセシウムが選択的に吸着されるのかはわかっていなかった。

プルシアンブルーの分子構造を見ると、あちこちに「空隙（くうげき）サイト」と呼ばれる空洞がある。「サイト」は「場所」ぐらいの意味だと思えばいいだろう。要するに「穴」がたくさんあるわけだ。金属を置き換えて色を変えるときも、この穴に金属イオンが取り込まれることが重要となる。

セシウムもまた、穴に入ることで吸着されることがわかった。高橋さんらは構造解析などによってその原理を解明し、企業と協力して無機ビーズ、着色綿布など、多様な形態のセシウム吸着材を開発した。

「この研究の過程で、プルシアンブルーの結晶構造の中には水を吸着する空隙サイトがたくさんあることがわかったのです。アンモニアのことを考えたのは、それからですね。じつは、水とアンモニアはよく似た性質を持っています。だから、水がくっつくプルシアンブルーにはアンモニアもくっつくのではないかと着想したのです。日本は化学肥料の多くを輸入に依存しています。もしアンモニアを吸着して回収し、肥料として再利用することができれば、少しは自給率を高められるのではないかと思いました。もっとも、単なる思いつきで提案しただけで、当初はコスト計算も何もしていなかったので、川本にボコボコにダメ出しされましたけど」（高橋さん）

こんどは隣で苦笑する川本さんであった。

●わざと「欠陥」をつくって吸着力アップ！

アンモニアを除去するだけでなく、回収して再利用できるなら一石二鳥である。川本さんのダメ出しにもめげずに研究を進めた高橋さんは、プルシアンブルーの構造をナノメートル（10億分の1m）のオーダーで観察した。すると、0・5nmぐらいの幅の穴が開いているのが見つかった。アンモニアの分子の大きさは0・26nmなので、この穴に入ることができる。つまり、アンモニアを吸着できるのだ（図10－5）。

「吸着材といえば、一般的には活性炭が有名ですよね。活性炭が優れているのは、いろいろな大きさの穴が開いている点です。小さい穴から大きい穴まであるので、多様な分子を吸着できる。

一方、プルシアンブルーは穴の大きさが均一なので、吸着できるもののサイズも限られていいます。だから、いろいろな物質を吸着したいなら活性炭が有効ですが、狙いをアンモニアに絞って選択的に吸着したいなら、プルシアンブルーのほうが有効です。活性炭はアンモニアの吸着力があまり高くないんです」（高橋さん）

また、活性炭はヤシの実や木片など天然の原料からつくるので、いつも同じものができるとはかぎらない。穴の開きかたが違えば、何をどれぐらい吸着するかも変わってくる。それに対して

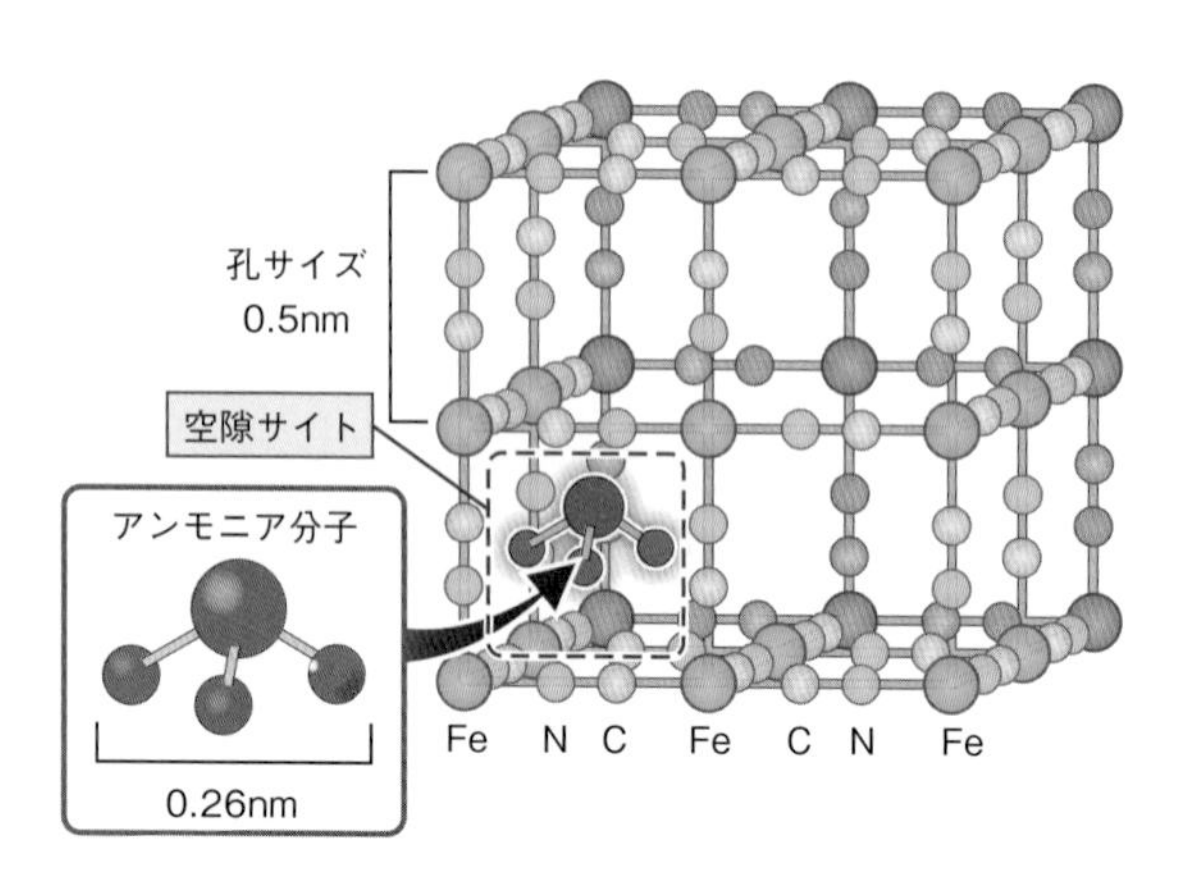

図 10-5 **プルシアンブルーの空隙サイトの大きさは0.5nm、アンモニア分子の大きさは0.26nmだから、アンモニアを吸着できる**

プルシアンブルーは人工的な合成物なので、再現性が高い。しかも、分子構造に手を加えることで、吸着力を上げることもできる。じつはその方法を見つけたことが、この研究における大きなブレイクスルーだった。

「もともと存在する空隙サイトだけでなく、あえて一部が欠けた『欠陥サイト』をつくることで、より多くのアンモニアを吸着することができるようになったんです。欠陥サイトでは、鉄イオンから出ている『手』が空くので、そこにアンモニア分子がくっついてくれるからです（図10-6）」（高橋さん）

ちなみに吸着する能力については、ブルーだけでなく「どの色でも吸います」とのこと。

「赤い色をした銅のプルシアンブルー類似体

図 10-6 **欠陥サイトのイメージ**
構造モデルの左上角を取り外して欠陥をつくったところ

を使った実験でも、欠陥率を上げるほど吸着される分子の数も増えることがわかりました」（高橋さん）

では、その能力はどれほどのものなのか。それを示したのが、図10－7のグラフだ。右の2つ、活性炭とイオン交換樹脂は市販のアンモニア吸着材、左の3つがプルシアンブルーとその類似体である。市販のアンモニア吸着材を見ると、高橋さんの言葉どおり、活性炭は一番低い。イオン交換樹脂はそれよりもかなり高いが、真ん中のプルシアンブルー（PB）のほうが優秀だ。

さらに、鉄を銅に交換した類似体（KCuHCF）と、コバルトに交換した類似体（CoHCC）では、イオン交換樹脂の10倍近い吸着力になっている。プルシアンブルーより

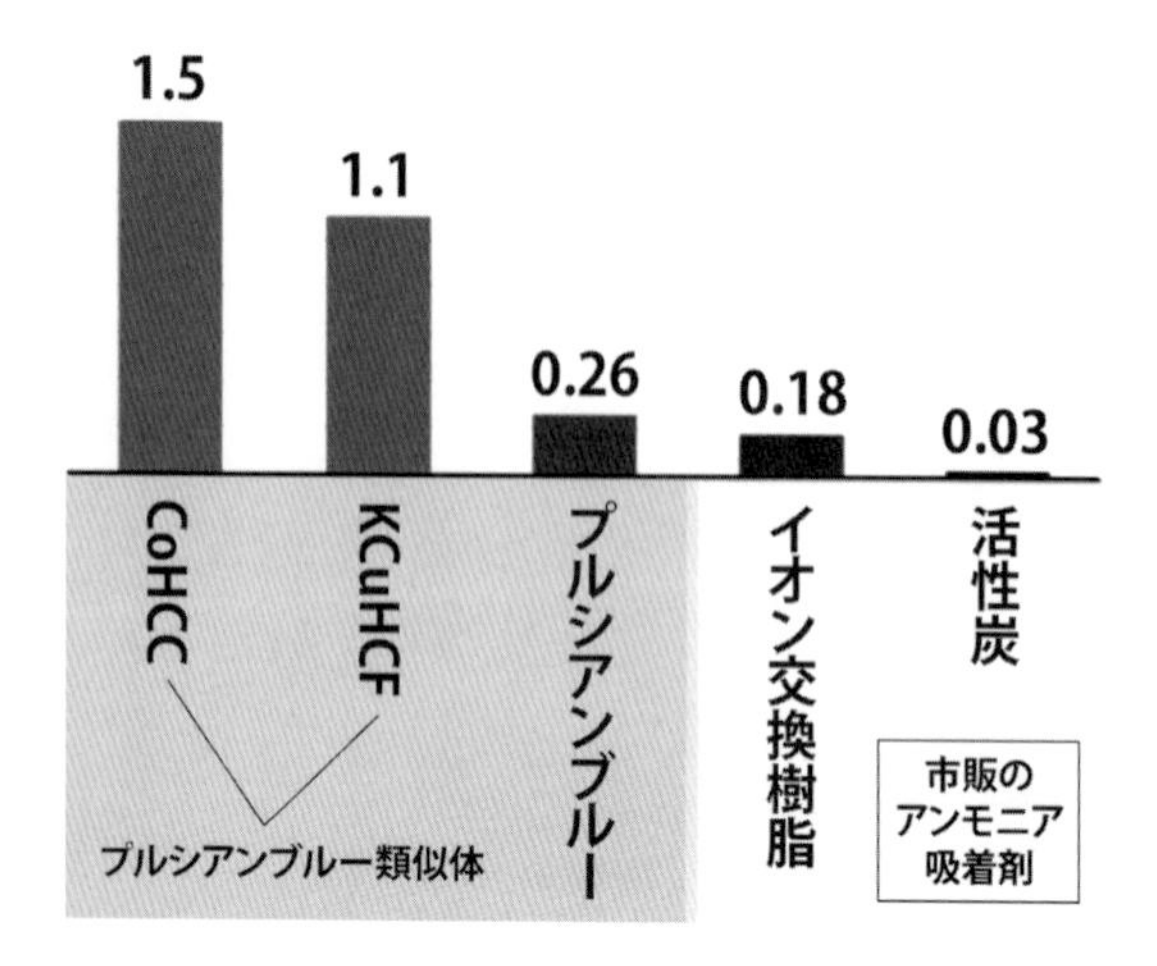

図 10-7 **従来の吸着材との能力比較**

縦軸は1kgあたりに吸着可能なアンモニア量（モル）。左の２つのプルシアンブルー類似体は強い吸着能を示した

類似体のほうがかなり吸着力が高いのは、そうなるように構造を最適化した「改良版」だからだ。人工的に分子構造を変えられるプルシアンブルーの強みがここにある。

しかし、このデータを見ただけでは、プルシアンブルーの威力が実感としてわかない。そこで高橋さんがわれわれ素人のために使ってくれた尺度は「東京ドーム」だった。うんうん、何事も「東京ドーム何個分」といわれるとわかりやすいよね。

「たとえば、いま私たちがいるこの部屋の空気にも、10ppb程度のアンモニアが含まれています。汗をかいたりしますからね。それぐらいの低濃度でも、プルシアンブルーはアンモニアを吸着してくれます。一升瓶くらいの量のプルシアンブルーがあれば、東京ドーム1杯分の空気からアンモニアを除去して清浄化できますよ」（高橋さん）

おお、それは強力だ！　心底から納得した。アンモニア吸着材としてプルシアンブルーが優れているのは、明らかだ。

●空気中の「不要物」から肥料ができる！

だが、優れているのは吸着力だけではない。吸着したアンモニアを取り出して、また再生させて使えるのも、プルシアンブルーの利点である。

「再生の方法は二つ。一つは、加熱です。熱でアンモニアを飛ばすと、また欠陥サイトの手が空くので吸着できる。実験では、アンモニアの吸着と加熱を4回くり返しても、吸着力は劣化しませんでした。もう一つの方法は、希酸洗浄です。希硫酸で洗うとアンモニアが離脱するんです。こちらは吸着と洗浄を10回くり返しても吸着力が落ちませんでした。くり返し使用できれば、コストが低くなります。しかも、離脱したアンモニアは回収可能ですから、肥料などに再利用できるでしょう」（高橋さん）

ということは、東京ドームで（いや、どこでもいいのだが）タダの空気から集めたアンモニアを使って、化学肥料をつくれてしまうということだ！　当初は高橋さんの思いつきにダメ出しを

図 10-8 銅の類似体を乾燥させて粒状にしたフリーズドライ(左)と、プルシアンブルーを不織布に定着させたもの(不織布の左)、銅の類似体を定着させたもの(同右)。不織布の厚さはいずれも0.5mm

した川本さんも、いまはその点を高く評価しておられる。

「これまで紆余曲折ありましたが、ちゃんとした事業になれば、きわめて新しいコンセプトになると思います。工場廃液や都市鉱山など、液体や固体のゴミを資源として利用する話はありましたが、私が知るかぎり、空気中の要らないものを集めて資源化するというのは聞いたことがありません。どこの空気中にもある目に見えないものがいきなり肥料になるとしたら、じつに面白いですよね」(川本さん)

いやー、よかったよかった。まだ「ちゃんとした事業」にはなっていないが、実用化へ向けた研究は順調に進んで

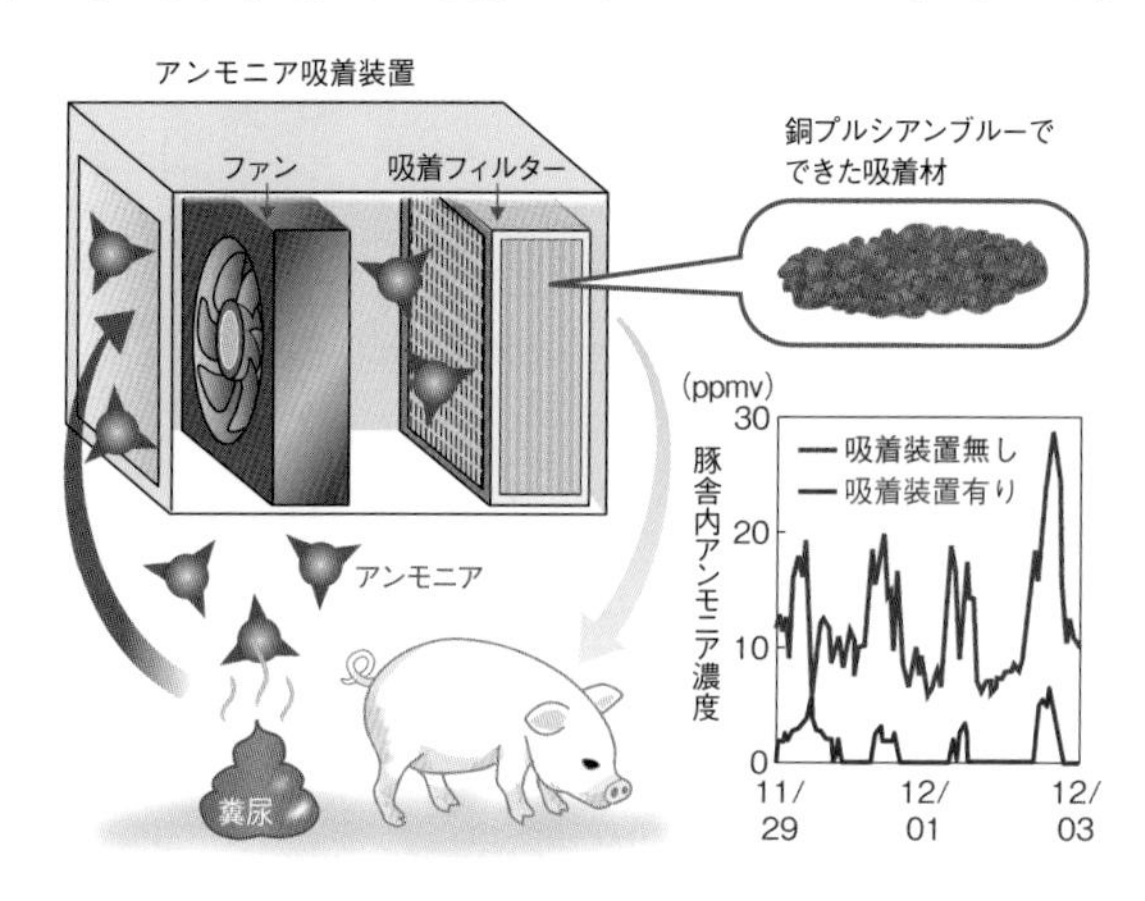

図 10-9　豚舎でのアンモニア吸着装置の概要とアンモニア除去実証試験の結果（グラフ）

いる。「企業秘密」とのことで詳しくは教えてもらえなかったが、放射性セシウム吸着材の研究で培った成型技術を応用することで、フリーズドライや不織布などが作成されているそうだ（図10-8）。

「フリーズドライの粒々ならトイレや冷蔵庫などの中に置いて使えますし、不織布ならスポーツウェアに織り込んで汗のアンモニアを除去することもできるでしょう。介護施設のカーテンや寝具に利用してもよいと思います」（川本さん）

現在は、畜舎の悪臭対策プロジェクトも実施中だ。

豚舎や、家畜糞尿の堆肥化施設の空気を外に吸い出して、アンモニアをプルシアンブルーで除去してから、屋内に戻す。除去したアンモニアは加熱や洗浄によって回収するという流れだ。ただしこのプロジェクトは、人間のためだけにやるわけではない。

「豚舎は汚いのが当たり前だと思われているかもしれませんが、本来、豚はきれい好きでデリケートな生き物なんです。だから豚舎の悪臭は、豚自身の健康を害することもある。最近では、飼育環境におけるアンモニア濃度を人間の労働環境と同じ基準（25ppm以下）にすることが求められているんです」（高橋さん）

2019年には、このプルシアンブルーを粒状化し、フィルターとして設置した豚舎と家畜糞尿の堆肥化施設で、その効果を実証している（前ページの図10-9）。

プルシアンブルーをカートリッジに詰め込み、ファンを取りつけてつくったアンモニア吸着装置を豚舎に設置したところ、豚舎内のアンモニアを減らすことができたという。また、豚舎よりアンモニア濃度が10倍高い堆肥化施設でも効果が実証された。

「悪臭」がまさかの資源に変わる未来は近いのかもしれない。期待はますますふくらむ。

●来たるべき「低窒素社会」に備えて

「あれこれ高橋にも文句をつけながら（笑）、最終的にこの研究にゴーサインを出したのも、近い将来、『炭素の次は窒素』が社会的な課題になると確信したからです。まだ日本では窒素循環の問題は顕在化していませんが、近いうちにかならず浮上してきます。そのときに『われわれは

すでにこの技術を持っています』と胸を張れるだけの準備をしておきたいですね」（川本さん）
まさに、「時代の半歩先を行く」ような研究だ。世の中が自分たちの研究に追いつくのを待ち伏せしているみたいで、じつにカッコイイと思いました。
ちょっと残念だったのは、見せてもらったフリーズドライの粒々が茶色かったこと。いくら「物質」としての構造が大事とはいえ、「プルシアンブルー」という色はイメージがよいので、商品化にあたっては青く着色できないものですかね——などと余計なことを申し上げたのだが、高橋さんも「たしかに見た目は大事ですよね」とおっしゃる。
「たとえばコンニャクは、もともと灰汁を使ってつくるから灰色になったのですが、いまは灰汁を使わないので白いコンニャクができるんですね。でもそれではコンニャクらしくないので、わざわざヒジキの切れ端などを入れて灰色にするそうです。プルシアンブルーも、着色で吸着力が変わることはないので、考えてみてもいいかもしれませんね」（高橋さん）
もしかしたら、「安全地帯」つながりで「プルシアンブルー」と「ワインレッド」の2色を用意するのも楽しいかもしれない。

探検時のPROFILE

川本 徹　かわもと・とおる（右）

材料・化学領域 ナノ材料研究部門 ナノ粒子機能設計グループ 研究グループ長

高橋 顕　たかはし・あきら（左）

材料・化学領域 ナノ材料研究部門 ナノ粒子機能設計グループ 主任研究員

私たちの研究グループでは有害物質や有用物質の回収など、資源・エネルギー技術の確立をめざしています。とくにアンモニアなどの窒素化合物の増加が引き起こす、窒素循環量の増大は、新たな環境問題として世界的に重要なテーマとなっています。そのために、プルシアンブルーなどの機能材料をナノ粒子化し、材料がもつ機能の改良や新たな機能を引き出す研究をおこなっています。

コラム ③

新しい窒素循環システムで、空気を資源に変えたい

1999年に創設された「化石賞」という賞がある。「賞」なのだから何かの栄誉なのかと思いきや、違った。気候変動問題に取り組む世界130ヵ国のNGOネットワーク「CANインターナショナル」が、問題への取り組みが〝ぜんぜんダメ〟な国に与える賞であった。なんと、わが国はその「化石賞」受賞の常連なのだ。なぜだろう、いろいろ頑張っているはずなのに……。

そんなわれわれのモヤモヤをよそに、ここ最近、気候変動と、海洋生態系に悪影響を及ぼすマイクロプラスチック問題に続く、第3の環境汚染問題として「窒素問題」が浮上しているという。

窒素？　窒素といえば、元素記号はN。空気中に78％も含まれ、いかにも人畜無害というイメージがある。それどころか、生命にとってはタンパク質やDNAなどの有機物を構成する、必須元素でもある。だが、その化合物となると話が別で、その量も増えすぎたのだという。

いわゆる空気の窒素、N_2は安定した無害の気体だが、Nのついた、亜硝酸イオン（NO_2^-）、一酸化窒素（NO）をはじめとする「窒素化合物」の多くは、地球環境にとって有害物質となる。窒素酸化物（NOx）は光化学オキシダントや酸性雨の原因物質であることが知られている。一酸化二窒素（N_2O）の温室効果は二酸化炭素（CO_2）の約300倍にものぼり、オゾン層も破壊をする。空気中のアンモニア（NH_3）はPM2.5の原因になるし、水中の窒素化合物は富栄養化（赤潮や有毒なアオコの発生につながる）や硝酸汚染などを引き起こす、非常にやっかいな存在だ。

なかでもアンモニアは、ツンと鼻につく、あのトイレの不快なにおいなど、いわゆる臭いものの代名詞だ。しかし、作物を育てる肥料に不可欠な原料でもあり、産業革命以降の人口急増を支えた立役者であった。1910年代、ハーバー・ボッシュ法の開発によって、絶対に不可能といわれていた大量生産が可能になった。空気中の窒素と水素から合成できるアンモニアが肥料となって食糧生産量は向上し、「空気からパンをつくる」技術とまでいわれた。現在でもアンモニア生産量のじつに約78%が肥料として使われている。

これが地球にとっては諸刃の剣となった。アンモニアの生産量が増えたことに比例して、地球上における窒素化合物の放出量は、この100年間で約10倍以上に増えた。肥料として使用されるアンモニアは、なんとほぼ半分が作物に吸収されずに、大気中に揮発したり、土壌中で硝酸イオン（NO_3^-）に変化したりして、地下水や廃水として流失してしまうという。また、人類の産業活動が活発化したことで、石炭火力発電や自動車の排ガスで大気中に放出される窒素化合物の量も増大した。その分も合わせると、人為的に排出される窒素化合物の量は、2010年には世界で1年間に約1・8億トンと推測されている。想像しただけで、臭くなってきた。

栄養でも何でも過剰に摂取するのは体によくない、と「健康診断」の結果に一喜一憂するわれわれは知っている。何事も「ありすぎる」ものは地球環境を破壊してしまう。地球には窒素化合物を自然分解できる力があるが、その量は1年に3億トンと見積もられている。そもそも、微生物による分解などの生命活動で、窒素化合物は年間2・2億トンほど自然発生する。そこに人類が排出する約1・8億トンが加わるため、年間約1億トンも過剰に発生していることになる。それで、「窒素（化合物）」の循環量が地球の限界を超え、国際社会において深刻な問題となっているのだ。2016年には、EUが加盟各国に対して、窒素酸化物（NOx）やアンモニア（NH_3）の大気放出量の削減目標を定め、すでに取り組みを進めているそうだ。

ことを難しくしている理由は〝臭い〟だけではなく、アンモニアの「魅力すぎる」資源力にもある。アンモニアは肥料以外にも、生産量の2割程度がメラミン樹脂や合成繊維のナイロンなど、化学製品の原料として利用されている。ほかにも、アンモニアは水素原子を含む物質なので、次世代エネルギーである水素を運ぶ「輸送媒体」として役立つ可能性がある。

さらに、燃焼してもCO_2を排出しない次世代の「燃料」としても注目されているほか、現状の石炭火力発電でもアンモニアを混ぜて燃やせばCO_2の排出量を抑えることが可能で、すでに実証実験が進められている。日本はまさにその技術を使ったCO_2排出削減対策を打ち出しているが、それは逆に、石炭火力発電そのものの延命措置をしているとみられる面もある。冒頭で紹介した「化石賞」を与えられるのは、そうしたことも関係しているかもしれない。

さて、そんなわけでアンモニアの需要は世界的にもむしろ上がり続けてしまっており、削減するどころか、生産量が足りなくなる勢いだ。この複雑怪奇極まりない第3の環境汚染問題である

「窒素問題」をどうにかしようと立ち上がったのが、産業技術総合研究所の川本徹さんたちである。川本さんたちは、人工的に排出される窒素化合物からアンモニアを回収して再利用する、新たな「窒素循環システム」の構築をめざしている。

簡単にしくみを説明すると、はじめに火力発電や自動車エンジンから排ガスとして出される窒素化合物を、窒素ガス（N_2）に変換するなどの無害化が不十分なまま自然界に放出する前に、触媒などでアンモニアに変換する。次に、そのアンモニアを、第10章で紹介したプルシアンブルーを使った吸着剤などで回収する技術が、この新たな「窒素循環システム」の核となっている。そして、アンモニアを再利用できるレベルの濃度にまで分離・濃縮することで資源化しようとしているのである。まさに、「排ガスからパンをつくる」ことになるかもしれない。

川本さんによれば、工業的に排出される窒素酸化物の半分をアンモニアに変えることができれば、残った半分と燃焼（混焼）させることで無害化できるそうだ。窒素酸化物を１００％変換すれば、そのままアンモニアとして資源化できるという。まるで錬金術のようだが、実現できれば、アンモニアの人工的な生産量も削減できることになる。

現在、排ガスと並行して、産業廃水からアンモニアを回収する技術開発も進んでいるという。さまざまなハードルがあるとはいえ、環境汚染問題を解決しようと、日々研究を重ねている人たちがいる。20年、30年先の将来を見据えた発明に寄せられる期待は大きい。

おわりに

本書『あっぱれ！　日本の新発明——世界を変えるイノベーション』を手にとっていただき、誠にありがとうございます。読者のみなさまに深く感謝いたします。本書は、産総研マガジン「さがせ、おもしろ研究！　ブルーバックス探検隊が行く」に掲載された記事の中から、ものづくりに関係する記事をピックアップし、加筆修正したものです。出版するにあたっては、産総研研究者や講談社のみなさまのご支援をいただきました。

産業技術総合研究所（産総研）は1882年に創設された農商務省地質調査所を発祥とする国立研究開発法人です。前身の工業技術院時代から鉱工業にかかわるさまざまな研究開発を進めてきました。現在は、社会課題の解決のための産業競争力の強化に貢献するイノベーションの創出を目標に掲げ、その実現に必要となる研究成果を社会実装することに注力しております。経営方針の中では、「ナショナル・イノベーション・エコシステムの中核になる」将来像を設定しています。産業界やアカデミアを巻き込みながら、イノベーションを生みだす中心となりたいと思っています。

産総研の研究開発は、情報・人間工学、生命工学、エネルギー・環境、材料・化学、エレクトロニクス・製造、計量標準、地質といった異なる7つの領域をカバーしており、あらゆる産業の基盤技術に対応できる「産業技術の宝箱」ともいえます。本書のテーマも多岐にわたり、さまざまな分野で世界を変えるイノベーションに挑む研究者の営みを紹介しています。これが実現できたのも、まさに、多様な分野の研究者が切磋琢磨している産総研ならではだと思います。

「研究の日常は、非日常だ。」

これは最近、産総研が使っているキャンペーンコピーです。イベントを告知するポスターなど、所内外にＰＲをするさいに大きな文字で掲載しております。

今回、産総研の10の研究テーマに取り組む12人の研究者の非日常の一コマをお届けしました。技術の内容もさることながら、その発見に至った日常の様子を見ていただけたのではないかと思います。産総研は２２００名の研究者がいる日本最大級の研究機関ですので、日々、２２００の非日常が研究現場では繰り広げられています。各章に綴られているように、研究者たちはみな、「うまくいかなくて悔しがり」「データに問いかけ」「ちょっと進歩した結果にふふっと笑い」「思った以上の結果に小躍りする」時を過ごしています。そんな中から、産業に役立つ技術がどんどん生まれてきます。次の機会にはまた、別の新しい非日常の姿をどこかでお届けできればと思っています。

最後になりますが、本書の出版に多大なる貢献をしてくださったすべての方々に心から感謝いたします。これからも新たな研究課題に挑戦し、みなさまに価値ある研究成果の情報を提供できるよう尽力してまいります。引き続き、ご支援賜りますようお願い申し上げます。
どうぞ本書をお楽しみいただき、今後の産総研の活動にもご期待ください。

２０２３年12月

国立研究開発法人　産業技術総合研究所

執筆者一覧

1章、5章、8章、10章

深川峻太郎（ふかがわ・しゅんたろう）

1964年北海道生まれ。早稲田大学第一文学部文芸専修卒業。2002年に『キャプテン翼勝利学』（集英社文庫）でデビュー。以降、『わしズム』（幻冬舎、小学館）、『SAPIO』（小学館）などで時事コラムを連載。著書に『アインシュタイン方程式を読んだら「宇宙」が見えた』（講談社ブルーバックス）。本名（岡田仁志）では著書に『闇の中の翼たち ブラインドサッカー日本代表の苦闘』（幻冬舎）があるほか、編集協力した『宇宙は何でできているのか』（村山 斉著／幻冬舎新書）は新書大賞2011、『大栗先生の超弦理論入門』（大栗博司著／講談社ブルーバックス）は第30回講談社科学出版賞を受賞。

2章、4章

黒田達明（くろだ・たつあき）

1963年東京都生まれ。東北大学大学院理学研究科修士課程修了。メーカー研究所勤務を経て、編集者・ライター業へ。著書に『ようこそ、私の研究室へ 世界に誇る日本のサイエンスラボ21』（ディスカヴァー・トゥエンティワン刊）など。ブルーバックス探検隊の仕事では、自分が面白がることを大切にしながら、理系の知識と文学的心の両輪で走ってきた。モットーは「弱気の二段構え」（挫ける自分はいったん許して態勢を立て直し、再挑戦すること）。

3章、6章、7章

中川隆夫（なかがわ・たかお）

1961年岡山県生まれ。フリーライター。芸能雑誌、音楽雑誌などを経て週刊誌記者に。科学から歴史文化まで、人とモノの成り立ちを取材して歩く。ブルーバックス探検隊では、地質、生物、計量計測技術など20人以上の専門家を取材。明治時代以降、科学者の総合力が日本経済の基盤を支えてきたのだということを、あらためて感じている。

9章

西田宗千佳（にしだ・むねちか）

1971年福井県生まれ。フリージャーナリスト。得意ジャンルは、パソコン・デジタルAV・家電、ネットワーク関連など「電気かデータが流れるもの全般」。取材・解説記事を中心に主要新聞・ウェブ媒体などに寄稿するほか、書籍も多数。主な著書に、『すごい家電』『暗号が通貨になる「ビットコイン」のからくり』（いずれも講談社ブルーバックス、後者は吉本佳生氏との共著）、『生成AIの核心』（NHK出版新書）、『ネットフリックスの時代』（講談社現代新書）など。

た行

な行

は行

ま・ら行

アルファベット

あ行

か行

さ行

N.D.C.507.1　224p　18cm

ブルーバックス　B-2252

あっぱれ！　日本の新発明
世界を変えるイノベーション

2024年１月20日　第１刷発行
2024年５月21日　第４刷発行

著者　ブルーバックス探検隊
協力　産業技術総合研究所
発行者　森田浩章
発行所　株式会社講談社
〒112-8001 東京都文京区音羽2-12-21
電話　出版　03-5395-3524
販売　03-5395-4415
業務　03-5395-3615
印刷所　（本文印刷）株式会社ＫＰＳプロダクツ
（カバー表紙印刷）信毎書籍印刷株式会社
本文データ制作　ブルーバックス
製本所　株式会社国宝社

定価はカバーに表示してあります。

ISBN978-4-06-534693-8

発刊のことば

科学をあなたのポケットに

二十世紀最大の特色は、それが科学時代であるということです。科学は日に日に進歩を続け、止まるところを知りません。ひと昔前の夢物語もどんどん現実化しており、今やわれわれの生活のすべてが、科学によってゆり動かされているといっても過言ではないでしょう。

そのような背景を考えれば、学者や学生はもちろん、産業人も、セールスマンも、ジャーナリストも、家庭の主婦も、みんなが科学を知らなければ、時代の流れに逆らうことになるでしょう。

ブルーバックス発刊の意義と必然性はそこにあります。このシリーズは、読む人に科学的に物を考える習慣と、科学的に物を見る目を養っていただくことを最大の目標にしています。そのためには、単に原理や法則の解説に終始するのではなくて、政治や経済など、社会科学や人文科学にも関連させて、広い視野から問題を追究していきます。科学はむずかしいという先入観を改める表現と構成、それも類書にないブルーバックスの特色であると信じます。

一九六三年九月

野間省一